新　潮　文　庫

平成お徒歩日記

宮部みゆき著

新　潮　社　版

6592

もくじ

前口上 8

其ノ壱　真夏の忠臣蔵
　　　両国（吉良邸跡）〜鉄砲洲（浅野上屋敷跡）〜
　　　高輪（泉岳寺） 11

其ノ弐　罪人は季節を選べぬ引廻し
　　　小伝馬町〜堀端〜鈴ヶ森〜小塚原 43

其ノ参　関所破りで七曲り
　　　小田原〜箱根湯本〜箱根旧街道 73

其ノ四　桜田門は遠かった　皇居（江戸城）一周 105

其ノ伍　流人暮らしでアロハオエ　八丈島 135

其ノ六　七不思議で七転八倒　本所深川　　　　　　　　　165

其ノ七　神仏混淆で大団円　善光寺〜伊勢神宮　　　　　　197

＊

剣客商売「浮沈」の深川を歩く　　　　　　　　　　　　239

いかがわしくも愛しい町、深川　　　　　　　　　　　　263

あとがき　　　　　　　　　　　　　　　　　　　　　　269

文庫版のためのあとがき　　　　　　　　　　　　　　　272

付録　「お徒歩」ガイド　　　　　　　　　　　　　　　275

表紙・本文地図　松本　哉

ミャベ判子製作　長谷川晋一

写真　田村　邦男

　　　土居　誉

平成お徒歩日記

前口上

　『平成お徒歩日記』というおかしなタイトルの本書は、わたくし宮部みゆきの初めての小説以外の本であります。

　本書が成立することになった過程につきましては、本文中のあちこちでグジグジとグチっぽく、グチこぼす者特有の熱をこめて縷々綴って綴っておりますので、ご一読いただければおわかりいただけると思います。文字通り足で稼いで書いた原稿でありまして（最後の方はグルメ旅行になってしまっててゴメンナサイなのでありますが）、日常、小説を書く上ではそれほど動き回らず、取材活動もごく限られた範囲内でしか行わないミヤベにとりましては、その点でも初めてのものとなりました。

　本文中でさんざんグチっておきながら矛盾しているようではありますが、タイトル同様のオカシな本、読者の皆様が「江戸を歩いてみようかな」「東京を見学してみようか

な」などと思い立つきっかけになってくれれば、こんなに嬉しいことはありません。鞄やポケットのなかにぽんと放り込んで、連れ歩いていただければ幸せです。

ところで、『お徒歩日記』シリーズが小説新潮誌上で掲載が始まったころ、ミヤベの担当編集者のなかに数名、これを「おとほにっき」と読むヒトびとがおりまして、ミヤベほうほうと思いました。多数の文筆業者の支持を受けるワープロソフト「一太郎」でも、普通に「かち」と打ち込んで変換したら、「徒歩」の二文字は出てきません。そこで試みに、国語辞典を引いてみました。三省堂の新明解国語辞典（第五版）です。

かち【徒】 ㈠「徒歩（とほ）」の意の雅語的表現。　㈡〔徒侍（かちざむらい）〕江戸時代、乗馬を許されなかった下級武士。

というわけなんです。うーん、雅語（がご）ね。ミヤベ一味のお徒歩行に優雅なところはかけらもないと思うけど、でもちょっと嬉しいですね。

さて、本シリーズの連載と単行本化に際しては、たくさんの方々にお力添えをいただきました。とりわけ、歴史時代小説を手がけておられる諸先輩作家からの、「あの企画、面白いね。頑張っていろいろなことやってよね」という温かい応援のお言葉には、本当に励まされました。前口上の一角ではありますが、まず巻頭で厚くお礼を申し上げずに

っちり締めることをお忘れになりませんように。

それでは、お待たせをいたしました。皆様どうぞ、お徒歩の旅へ。出立前に靴紐をき

はいられません。ありがとうございました。

其ノ壱 真夏の忠臣蔵

平成六年七月二十二日

両国駅
国技館
勝

本所松坂町跡之碑
松坂町公園
両国橋(現在)
大高源吾句碑
回向院
両国橋
江戸時代の両国橋
江戸時代の回向院
一之橋
吉良邸跡地
二橋

上野
浅草
両国駅
吉良邸跡

江戸城跡
松の廊下跡
(旧・本丸内)
東京
神田
両国橋
回向院
御船蔵
隅田川
錦糸町
川
淨心寺
旧・山本邸
卍
卍
富岡八幡宮

日本橋
竹橋
マサキ
有楽町
銀座第一ホテル
汐留橋跡
浅野内匠頭邸跡
卍
卍
明石町
湊町
鉄砲洲
聖路加病院
四本欄寺
卍
卍
新橋
芝口
浜松町
芝
金杉橋
田町
勝・西郷会見の地
第
京浜
泉岳寺
卍
品川

0 1 2 3 4 km

1

なぜわたしは心配するのをやめて真夏の炎天下に
両国から高輪まで歩くことにしたか？

異様に長い章題にございますが、読者の皆様には、まずこの企画の成立過程につきま
して、ひとくだり説明をお聞き願いたい。そうでないと、わたくしミヤベも、この義挙
に同行してくれた新潮社の御三方も、単なる大うつけになってしまうからであります。

日々頭を抱えながら現代ミステリーを書く一方、時々うんうん唸りながら江戸時代が
舞台の捕物や市井物も書いているわたくしミヤベミユキでありますが、実を言いますと、
江戸物を書くときいつもいちばん苦労するポイントとして、「時間と距離感」というこ
とがあります。

かの時代には、時計が普及していませんでした。時の鐘が町のあちこちで人々に時間
を報せていたわけですが、これはかなり大雑把なものだったようです。A地点で六ツを
報せる鐘を聞いて、そこから半里ばかり歩いた先のB地点でもう一度六ツの鐘を聞いた
なんていうことが、たまにあったそうですから。当時の人々にとって、時間というのは

人間のほうに調子をあわせてくれるものであり、生活のペースの指針となってくれるのは、時刻ではなく、お陽さまの高さや月の傾き具合のほうだったわけですね。このあたりが、数えてみたら六畳一間の仕事場のなかに時計が八個ありました——という暮らしをしているわたしには、とても感じがつかみにくい。

ただ、それでもまだ、作中の登場人物たちがじっとひところに動かずにいてくれる場合はよいのです。彼らが移動し始めると、これがまた面倒くさくなります。たとえば深川浄心寺裏の山本町から日本橋万町へ、主人公の町娘を歩かせなきゃならないとしましょう。わたしは古地図を広げてながめ、「えーと、この道を通ってここを渡って——」などとコンパス片手にチクチク考えるわけです。「どれくらい、時間がかかったことにすればいいかなあ」と悩んでいるうちに、アタマ痛くなってきちゃいます。

ところで、こういう困った作者のために、一応の距離と時間の目安となる言葉があります。「一里一時間」というのが、それ。一里つまり四キロ歩くのにかかるのが、だいたい一時間だよという意味ですね。ただしこれは、老若男女取り混ぜての平均値です。若者はもっと早いでしょう。職業によっても大きく差が出るでしょう。そのへんは塩梅しなくてはなりません。

それに、この便利な標語も、やっぱり頭のなかだけのものです。さらには、「時速〇〇キロだとこれぐらいのスピード」とに車の運転免許を持っていないわたしは、「時速〇〇キロだとこれぐらいのスピード」

という感覚の物差しも持っていないので、「一里一時間」を「時速四キロ」と言い換え
てみても、やっぱりチンプンカンプンなのですね。では、どうするか？

——やっぱりこれ、実際に歩いてみるしかないんじゃなかろうか？

というようなことを初めて考えたのは、かれこれ六年ほど前のことであります。当時
のわたしは駆け出しも駆け出し。お金も仕事もないけど時間だけはクサるほどありまし
た。そこで、ある小春日和の一日、運動靴はいてショルダーバッグを肩から幼稚園掛け
して腰に万歩計をばくりつけ、いざいざと出発。このときは、日本橋から門前仲町の
富岡八幡宮まで。その一ヵ月ほどのちには、有楽町マリオンの前から歩きだして両国橋
を渡ってＪＲの錦糸町駅まで。二度の試みをしたのでありました。

なんと酔狂な……と思われる読者の皆様よ。でもこれ、案外楽しかったんですよ。そ
してそのときの記憶があったからこそ、今回の企画も生まれたのです。

小説新潮誌上におきまして、昨年の春、わたしは、日ごろ「縄張だ縄張だ」と威張っ
ている深川一帯の地理と歴史について、いかに無知であるかということをサラけ出して
しまう「深川散策記」的なエッセイを書きました。御記憶の向きもあるかもしれません。
ところが、これが案外とウケがよろしかった。また、当人も楽しかった。で、今年に入
りまして、小説新潮編集部担当の江木さんが、「何か続き物をやりませんか」というお
話を持ってきてくれたとき、「もう一回、ああいうお散歩ものをやりませんか？」と、

　ワタクシは提案したのです。

　これには、実にいじましい計算がありました。このころわたしは、（またカバンを幼稚園掛けしてあっちこっちフラフラ歩いてみよう）という計画を立てていたのです。ひとりでね。つまり自前でね。

　しかし！　これがもし企画物ということになれば、おお、自腹切らずにあっちこっち行かれるうえにお勉強にもなるではないか！　ね？　オイシイお話でしょう。

　で、「歩くんですか？」とにわかに渋りだす江木さんを説き伏せるために、ミヤベ必死で考えました。ひとりでなら、ただプラプラ歩くだけでも許される。でも、担当諸氏を巻き添えにするとなると、やはり大義名分意義目的が必要となってきます。何にするか──

　とっさに思いついたのが、「たとえば、赤穂浪士が討ち入りのあと泉岳寺まで引き上げた、その道筋を歩いてみるってのはどうでしょう？」ということでありました。

　「それは面白いかもしれませんね」と江木さん。「誰もやったことないですよ、きっと」

　やるわけないんですよ、意味ないもの。古地図の読める方には必要のないことなんです。でも、わたしには嬉しい話。企画が通るといいなあと思いつつ、打ち合わせ場所の喫茶店を出たのが三月初旬のことでありました。

　さて時は流れ、江木さんから「あの企画、実現することになりました」という連絡を

いただいたのは、梅雨時（今年の場合は空梅雨時ですね）のこと。

「赤穂浪士の引き上げ道を歩く、やりましょう」

「わ、嬉しい。で、いつごろ？」

「編集長とも相談したんですが、掲載の都合もありまして、七月半ばぐらいでどうでしょうということなんですが」

ミヤベ、沈黙。七月半ば？

この空梅雨の、この暑さ。これから推すに、七月半ばはもう、きっとギンギンの猛暑だろうなぁ……。

「暑いですけどね、ハハ、踏破したあとのビールが旨いですよ、きっと」と、諦め気味の江木さん。今さら引っ込みもつかず、「ははは」と笑うミヤベ。唯一の望みをかけて、

「でも、本気で凝るのなら、十二月十四日の夜中がいいんじゃないですかぁ？」

と言ってみると、江木さん曰く、

「徹底して厳密にやろうと思ったら、鎖かたびらを着て歩かないとならないですよ。だからそのへんはいいんじゃないですか？」

「そうね、そうですね」と、急いで退却のミヤベ。鎖かたびらどころか、「いっそのことどこかへ討ち入ってから泉岳寺に向かいましょう！」なんてステバチになられたらまずいです。まだ、この業界から石もて追われたくはございません。

という次第で、決行日は七月十五日と決定いたしました。熱射病になったらコワいなぁ……などとオドオドしつつ、とりあえず商店街で帽子買ったり日傘買ったり水筒も要るかなぁと考えたりしているミヤベの前で、日めくりは容赦なくめくれてゆきます……。

ところが。

こうして意味のない苦難の企画が実行に移されようとする、まさに一週間前の七月八日、事件が起こりました。なんと、企画の発起人であるわたくしミヤベが、突然救急車で病院に担ぎこまれてしまったのです！

そりゃあもう大騒ぎ。救急車に乗るのは初めての経験で、いやもう恥ずかしいのなんの。近所の人たちは集まってくるし……。

といっても、ハズカシイなんて文句たれていられるくらいですから、たいしたことはなかったのです。病名は腎臓結石というか尿道結石。字面としてきまり悪いので「腎臓」のほうを採用いたしますが、要するに身体のなかに石ができちゃって、それが外に出るまでおなかが痛くてどうしようもないという病気なのですね。胆石も、同じような病気です。わたしは運がよくて、痛みだしてから三時間足らずで石が出てしまい、あとはケロリ。一応一泊入院したのですが、翌日の午後にはもう家に帰ることができました。

それくらい、いってみれば物理的な病気（病気のうちに入らないという人もいます）なので、時には、ひと晩もふた晩も苦しんで、それでもまだ石が出ないということもあるそうです。

この、石が出てしまうまでの痛みといったらそれはもう凄絶なもので、七転八倒どころか七十転八十倒ぐらいしちゃいます。わたしは、いちばん痛いときでも、救急隊の人やお医者さんや看護婦さんたちと話ができたし、歩くこともできたくらいですから、症状としては軽かったのでしょう。本当に本物のひどい場合は、脂汗ダラダラ流すだけで口もきけないそうです。痛み止め注射なんて気休めにもならず、最後はもう麻酔するしかないとか。けっこう怖いでしょう？

それはともかく、点滴をガラガラ引きずって電話をかけにゆくことができるようになるとすぐに、わたしは河野嬢に一報。軽い病気だけど、念のため、来週のお散歩企画は少し延期してもらうようにお願いしてねと頼みました。それはすぐさまＯＫとなり、決行日は一週間ずれて、二十二日となったのでした。

さてこの延期の一週間のあいだも、わたしは通院していたのですが、最後に、お医者さまがこうおっしゃいました。

「レントゲンで見るとまだ石があるんですけどね、薬を飲むよりも、どんどん水分をとってどんどん歩いて出しちゃうのがいちばんいいですからね、そうしてください。痛く

なければ、もう来なくていいですよ」

ははあ……と、ミヤベは思ったことであります。どんどん歩け、と。これつまり、例の企画にもうひとつ大義名分がついたということではないか！

気をよくしたわたしはさっそく江木さんに電話連絡。「お医者さんから許可が出ました。というより、どんどん歩けというお達しです」

「それはよかったですね。でも、入院は初めてでしょう、いかがでしたか？」

「建物は古いんだけど、看護婦さんが若くて美人ぞろいなんでビックリしました。食事を持ってきてくれる准看護婦さん（たぶんそうだろうと思う）たちも、アイドルタレントみたいなんだもん」

このときの江木さんの反応については、武士の情けで伏せておいてあげます。でもこれは、誓ってホント。読者の皆様のなかで、どうしてもこの病院の所在地を知りたいという方は、新潮社気付でお便りをどうぞ。

さて、長い前置きでございましたが、斯様な次第でこの企画、表向きは「江戸人の距離感を足でつかもう！」しかしその裏には「宮部みゆきサンの腎臓結石を治そう！」という遠大な目的を秘めて、空梅雨も見事にあけた七月末の晴天下、午前中からすでに気温三十度を突破という好日和に、波乱含みの幕を開けたのでございます。

2　回向院から永代橋まで——本所深川は「江戸」ではないというお話

　元禄十五年十二月十五日早朝、吉良邸討ち入りを終えた赤穂浪士一党が、泉岳寺まで

どんな道筋を歩いて行ったか？

　これについては、ふたつの資料を参考にしました。まず、原惣右衛門（当時五十五

歳・赤穂藩士時代の役職は足軽頭）の『討入実況覚書』の以下のくだり。

　「道筋の儀は、町筋は御禮日之儀に御座候故差控へ、御船蔵の後通り、永代橋より鉄砲

洲へかかり、汐留橋筋、金杉橋、芝へ出候て、泉岳寺へ参候」

　文中の「御禮日」というのは、幕府の定めた式日のことで、毎月の十五日、江戸在府

の大名・旗本は、総登城する仕来りとなっていました。ですから、吉良邸からすぐ大川

へ向かって両国橋や新大橋を渡ったりすると、江戸の町の中心部を横切ることになり、

登城してくる大名たちと出会ってしまうかもしれない。そこで、いたずらに騒動を起こ

さないため、「差控へ」たというくらいの意味にとってよいと思います。また、これは

わたしの純然たる想像ですけれど、いくら主君の仇を討ったとはいえ、斬ったばかりの

首を掲げての道中、登城する大名や旗本に行き合えば、「血のけがれ」になるので失礼

だ――という配慮もあったのじゃないかと思います。ホントに想像ですが。

もうひとつ、富森助右衛門（当時三十四歳・赤穂藩士時代の役職は馬廻・使番）の残した『富森助右衛門筆記』にも、「道筋之儀通り町筋は御禮日儀候故指扣、本所御船蔵之後通永代橋より鉄砲洲・汐留橋・金杉橋・芝泉岳寺へ参候」と、ほぼ同じ記述があります。どちらも当事者の書き残したものですから、これでまず間違いないでしょう。

でしょう、という言い方をしたのには、理由があります。浮世絵の、いわゆる義士引き上げの図では、四十七士が両国橋を渡り終えたところを描いたものがよく知られていますし、またこの当時の他の記録のなかに、四十七士が両国橋を渡ったと書き残してあるものが存在しているからです（ただしこれは聞き書き）。また、本所二ツ目（当時はまだ松坂町ではありませんでした）にあった吉良屋敷から大川を渡ろうと思うなら、地理的には両国橋がいちばん近いところにあることも苦しいのですが、ここではひとまず、当事者の残した記録のほうを優先することにしました。

さて、問題の七月二十二日午前十一時。わたしたち一行は本所回向院門前に集合いたしました。前述した『富森助右衛門筆記』に、「討ち入りのあとは一旦無縁寺（回向院）に集まろうと申し合わせておいたのだが、寺へ行ってみると門が閉まっていてなかに入

れてもらうことはできなかった」という記述があるので、ここを出発点にしたわけです。

結局、四十七士は回向院脇の路上で集合し歩き始めたのですが、わたしたちは門前に集まりました。なんとなれば、現在の回向院の両脇には、どでかいビルがそびえていて、道なんてなかったんです。

わたしたち一行は、四十七士ならぬ四人の面々。わたしと担当の江木さん、出版部の中村さん、写真部の田村さん。機材を運ぶ田村さんがいちばん大変な役回りで、それについてはずっと（申し訳なひ⋯⋯）と思っていたミヤベですが、案じていたよりは軽そうな荷物で、しかも江木さんが半分分担して担いでくれましたので、後ろめたさが大分少なくなりました。

「こりゃ、日に焼けそうだね」

田村さんが嬉しそうにぎんぎんの太陽を仰ぎます。といっても、田村さんすでにテニス焼けで真っ黒なんだよね。

「田村さんはいいですよ。焼けてもいい色になるだけだから。僕はもうあとがヒリヒリで大変で」

と、こぼす江木さん。そういえば江木さんて、すごい色白なんですよ。新担当者として初めて顔をあわせたとき、ミヤベはこのヒト絶対にハーフに違いないと思いました。瞳（ひとみ）の色も薄いので、色素の少ない体質なのでしょう。実際にはそうではないのですが。

「なにしろ江木さんはロシアの出身ですからねえ」

「そうそう、本名はニコライ・オンナスキーだから」

関係者の名誉を守り新潮社の内紛を避けるため、この二発言が誰のものかについては、ミヤベ沈黙します。おお、しかし、ニコライ・オンナスキー！

「決めた。これから江木さんはニコライ江木だ！」

「え？　僕だけそんな、殺生ですよ！」

「あらそう？　なんなら江木オンナスキーでもいいんだよ」

「そんなそんな……」

絶句するニコライ氏。ミヤベ、面白くなったのであとの二氏にもコードネームをつけちゃうことにしました。まず田村さん。田村さんとは、ミヤベが新潮社共催の日本推理サスペンス大賞をいただいた直後、顔写真を撮影してもらいに写真室へ行ったときが初対面でしたから、けっこう長いお付き合いになります。初めてお会いしたときの印象は、

「なんだか、大きくてヒトなっつっこくて子供好きのセントバーナードみたいなおじさまだなぁ」というものでした。ところが、その後田村さんにいろいろ伺うと、実は大の犬好きで、愛犬のマックはほとんど子供も同様だとか。よし、田村さんはマック田村で決まりだな。

出版部担当の中村さんはというと、実はこのヒトはミヤベよりもずっと年下なのです

が、非常に落ち着いた人柄で、時々こちらの目からウロコが落ちるようなことを言ってくれるのです。スパッとね。ですから、庖丁人中村と呼ぶことにしましょう。

「僕だけしょうもないコードネームですね」

すねるニコライ江木氏。いいじゃない、皇帝ニコライだと思っておけば、ねぇ？

「暑いですねぇ～」を合言葉に、ま、ともかく出発しましょうということになり、最初に足を向けたのは、四十七士の足取りとは逆に、吉良邸でした。つまり、墨田区両国三丁目に立てられている、吉良義央邸跡の石碑です。

回向院から東に徒歩三分ほど。町中の一角に、2DKぐらいの広さの土地を囲んで瓦屋根つきのなまこ塀が残されており、石碑は門の脇に立てられています。木戸を通ってなかに入ると、当時から吉良屋敷内にあったという伏見お稲荷さんが安置されており、ちょうど、訪れた五、六人の女性が、熱心に拝んでいるところでした。吉良町の方々かもしれません。塀の内側には、当時の吉良邸の見取り図なども掲示されていますし、あの日ここで命を落とした小林平八郎や清水一学を始めとする吉良方の侍たちを供養する小さな石碑も立てられています。ここにも、花やお供物が溢れていました。

この吉良邸は敷地坪数二千五百五十坪、建築坪数約八百四十六坪、現在の住宅地図と重ねあわせてみると、たっぷり二区画を占領してまだ余りが出るほどの広大なものです。

当時、このあたりは町屋と武家屋敷が混在しているところでしたが、これだけの規模に
してしかも新築、あたりをはらう威容を誇っていたに違いない吉良邸を、周囲の町人た
ちはどんなふうに思っていたのでしょう。上杉上屋敷に駆けつけ、討ち入りの一報を入
れたのは、吉良邸の近くに住む豆腐屋だったという説がありまして、もしこれが本当な
らば（この豆腐屋が上杉方のスパイだったなら話は別ですが）、町方にも吉良の味方が
いたということになるでしょう。

石碑のそばを離れると、わたしたちは道なりに南へと進みました。「御船蔵の後通り」
とあるように、目立つ大川河岸は避けて、そこより一本ないし二本東寄りの道を、ひた
すら永代橋目指して下るだけの道中。竪川を渡ればそこはもう深川、現在の江東区です。

さて、お手元に江東区の地図があれば、それを開いてみていただければ一目瞭然なの
ですが、この江東区というところには、他の二十二区とは著しく違う特徴があります。
道路が、京都のそれのようにきれいな碁盤の目になっているということです。

言うまでもなく、江戸は城下町。そして城下町は、お城を中心に放射線状に道がつく
られ、建物が建てられてゆくものだというのが常識です。事実、皇居を中心にして現在
の東京の地図をながめれば、山手線の内側の道路は、おおむね放射線状に伸びているこ
とがわかります。

それなのに、なにゆえ江東区だけが例外なのか？　これはやはり、この地が江戸初期

お徒歩の第一歩を本所・吉良邸に印す。右手に地図、左手に資料、頭に
帽子、背にリュック、足には履きなれた靴、それに健脚と治癒すべき
疾病（?）。これ、お徒歩隊の七つ道具なのでありました。

からの埋め立地であり、新開地といえば聞こえはいいですが、はっきり「城下町の外」と認識されていたからでありましょう。堀割を多く作り、水路を活用するためという理屈もあったでしょうが、人為的につくる土地ならば、道路は真っすぐに引いておいたほうが便利で易しい。実際、大川の東側の本所・深川あたりが町奉行所の管轄内として認められたのは、江戸も中期以降のことです。人口が増え人の出入りが激しくなったので、治安対策上そういう措置をとったのでしょうが、それまでは代官支配地でした。つまり、残念ながら、深川は根っからの江戸ではなかったし、わたしも江戸っ子ではないという次第。

　それにしても、ここからも、まるで追い払うように大川の東側への屋敷替えを命じた幕閣の、「討つなら討て、ただし江戸の外でやれ」と言わんばかりの、吉良に対する冷淡な本音が感じられます。でも、おかげで、引き上げ道をたどるわたしたちは助かりました。

　現在の江東区の地図と、当時の深川の切絵図を比べてみても、橋の位置や数、堀割の長さなどが多少違っているだけで、とても見当がつけやすかったからです。

　気温は高いですが、午前中は日差しも照りつけず、風は涼しくて、おまけに道は単調で、楽な道中でした。四十七士は、追っ手、とりわけ上杉勢の追撃を思って足早に進んだことでしょうが、わたしたちはのんびり散歩気分。信号待ちをしなければならないところも、彼らとは違っていました。

書くのが遅くなりましたが、吉良屋敷から高輪泉岳寺まで、距離にして約十キロの行

程です。一里一時間の公式をあてはめれば、二時間半で到達できる理屈。この道を、記

録によれば、四十七士は約二時間で歩きました（午前六時から午前八時）。ただし、鎖

かたびらを始めとする重い武具を身につけ、吉良勢との激闘のあとの二時間です。いく

ら追っ手を警戒しての道中とはいえ、健脚という以上の凄い脚力であります。途中、足

を捻挫していた原惣右衛門ら二人が駕籠に乗っていますが、他の四十五人は歩き通しま

した。

試みに、四十七士の平均年齢と、わたしたち四人のそれとを比べてみますと、

　　四十七士　平均　三十九歳

　　　　最年長　堀部弥兵衛　　七十七歳

　　　　最年少　大石主税　　十六歳

　　わたしたち　平均　三十六歳

　　　　最年長　マック田村氏　　四十九歳

　　　　最年少　庖丁人中村氏　　二十七歳

わたしたちがこの十キロを何時間ぐらいで歩き通したのか……ま、おいおいわかるであ
りましょう。

永代橋を渡ったところで、橋のたもとのコンビニで飲み物を買い、きれいに整えられ
た護岸公園に降りて一休み。ポンポンとエンジン音を響かせて東京湾へとくだってゆく
船をながめつつ、隅田川もきれいになったもんだと感心しました。ちょうどお昼どきで、
周囲では、ビジネス街の人たちが、思い思いの休憩時間をすごしています。そのなかに、
リュック背負って運動靴履きの異様なる風体の四人組。やはり注目されておりました。

それにしても、東京の町って、そこらじゅうにコンビニがありますね。

　3　鉄砲洲の浅野屋敷はどこだ？
　　　庵丁人中村氏気の早い寺坂吉右衛門になるのくだり

打合せの段階から、永代橋を渡ったあと、東海道南下――現在の第一京浜をくだって
ゆく道のりに辿り着くまでのこの行程が、いちばん難儀であろうと話し合っていました。
明石町、湊町、鉄砲洲、築地のこのあたりは、切絵図でも読み取りにくいし、現在の地
図に重ね合わせても、よくわからないところが多かったのです。

案の定、隅田川中洲にそびえる高層ビル群を左手に、わたしら、道に迷いました。こ

のところから「さあ出番だ!」とばかりに照りつけ始めた太陽を頭上に、行った道を戻っ
たり曲がり角で立ち止まったりしてさあ困った。住居表示を頼りに、

「湊町——湊町はどっちだ?」

「鉄砲洲は?」などとウロウロ。二十分ほど無駄にしてしまいました。

迷子の原因は、やはり、当時の堀割が現在は埋め立てられていて、切絵図にある橋が
なかったことでした。最終的には、聖路加病院前を通る都営バスのバス停を発見し、そ
の道に沿って築地方面を目指すことで解決できたのですが、さてここでツキに恵まれま
した。ちょうど鉄砲洲のあたりで、中央区役所が立てた「歴史と人の散歩道」という標
識を見つけ、そのなかに、「浅野家上屋敷跡」の表示があるのを発見したのです。そこ
にはどうやら石碑でも立っているらしく、場所は聖路加病院の敷地内のようです。

喜んだわたしたちは、じゃあここで先にお昼にしようと、築地の「さらしなの里」と
いうおそば屋さんに足を向けました。通人が好むというこのおそば屋さん、わたしはと
ろろそばを頼みましたが、冷たくて美味。おまけにクーラーもほどよくて、そのうえビ
ールも美味しくて、

「この分なら、けっこう楽勝で泉岳寺まで行けますね」などと、お気楽極楽な四人連れ
になってしまったのでした。

小一時間の休憩のあと、築地から逆戻りして聖路加病院の塔を目指して歩き出しまし

た。途中、ここでキャンプができますという小さな児童公園を発見。ちゃんと炊事場や共同水道なども設けられているのですが、だけどねえ、ビル街のど真ん中で、地面はコンクリート舗装。しかも木立がまばらなので、直射日光ギンギラなのですよ。ここでキャンプするくらいならうちで寝てたほうがいいけどなと思いつつ、だけどアタシのやってることだって街中でキャンプするのと同じくらいアホかしらと、やや正気に戻りかけました。

と、そのとき。

「あれ、こんなところに！」という庖丁人中村氏の叫び声に駆けつけてみると、なんと、聖路加病院の十字架を遠く仰ぐ、フェンスの周りの緑地のなかに、「浅野家上屋敷跡」という大きな石碑を発見したのです。

「敷地のなかじゃなかったんですねえ」

「今、聖路加は一部を取り壊して建て直してるんですけど、これは残るように配慮してあるわけですな」

さっそく、写真をパチパチ。四十七士は鉄砲洲のお屋敷の前にさしかかったとき、亡き主君を偲んで感に堪えない思いだったことでしょうが、わたしたちは陽気なものです。

浅野家上屋敷は、当時の地図で見ると、西本願寺の南東に位置し、南と西は堀割に面しています。殿中狼藉の一報で、屋敷のなかが天地がひっくり返ったような大騒ぎにな

っているとき、夜陰に乗じて、この堀に面した水門を通り抜け、町人四、五十人が屋敷内に乱入、家具や道具を持ち出してしまったという出来事がありました。門番の急報で堀部安兵衛が駆けつけ、刀に手をかけて叱りつけると、皆あわてて逃げ出した——とありますが、いつの時代も、まことに庶民というのはたくましくもエゲツナイものであったのです。

さて、同行してきてくれた出版部の庖丁人中村氏は、石碑発見のお手柄を置き土産に、他所での打ち合わせの約束を果たすため、ここで離脱の身の上。寺坂吉右衛門[3]じゃないのぉ——とはやしたてつつ、高田馬場まであと三里の安兵衛のように走ってゆく氏の後ろ姿に、とりあえずお疲れ様でしたのミヤベでありました。

ところがね……ホントにきつくて大変だったのは、ここから先だったんですよ。

4　銀座第一ホテルで沈没寸前、第一京浜死の彷徨

鉄砲洲のお屋敷をあとに、晴海通りへと出たわたしたち、今や三人。お昼を食べて気持ちよくなってるところではあるし、せっかくだから築地の波除神社をちょっとお参りしていこうよと、午睡にまどろむ問屋街を通り抜け、ほとんど冗談みたいに巨大な獅子

頭を拝んだあたりまではまだよかった。

このころから、太陽はますます気合いを入れてガッツンガッツン照らしてくるし、午前中は心地よかった微風もぴたりと止まり、流れるものはただ汗よ——という具合になってきたのが午後二時すぎ。足取りも重く、「いやしかし、暑いですね」という会話も途切れがち。

とにかく晴海通りに戻り、新橋目指してテクテクと歩いてゆくあいだも、顎から滴り落ちる汗はもうハンパじゃありません。ついに立ち止まり、

「ちょっと、どこかで休憩しましょうか」と言い出したのは軟弱ミヤベ。「あたし、病み上がりですもんねえ」と、お医者さまの処方も忘れて勝手なことを言ってますが、あとのお二人も、「そうですねえ」と即座に同意されたところを見ると、やっぱり、シンドかったのでしょう。

あれを御覧と指さす方に、銀座第一ホテルの看板が。おお、冷房じゃ！　とばかりに、手前の歩道橋をヒイヒイ言いながら登って降りて、ロビーに飛び込んだときには、ああ、つくづく江戸時代に生まれなくてよかったと、ワタクシ、思ったものでございます。

ここで冷たい飲み物をとり、三人三様に思っていたことは、（ま、そろそろ早駕籠に乗っちゃってもいいかな？）ということだけ。つまり的士、タクシーでありますね。漢字で書いたってごまかせないですよ。

やっぱり真夏じゃくね。全部歩くのは無理だよねなんて都合のいいことを言いながら、一時間ほどの休憩のあと、名残を惜しみながらホテルを出て、新橋駅前の人込みのなかに。勤め人溢れるこの街では、やっぱり異様なわたしたち。それでも、ホテルのクーラーのおかげで、足取りは大分軽くなりました。

「浜松町まで歩いていって、そこからタクシーという感じでどうでしょう」というニコライ江木氏の提案に、そうねそうねと同意したのも、やや復調してきたからでした。ホテルに飛び込んだときには、正直申しまして、「アタシ帰る」と思っていましたミヤベです。

新橋を通過して、第一京浜に入りますと、あとはもう迷いようのない一本道です。途中、金杉橋さえチェックすればそれでよし。わたしはホッとしたけれど、さて四十七士は、東海道に入ったこのあたりで、どんな気分だっただろうかと考えました。

ここまで来ると、追っ手のことは、もうあまり心配しなかったんじゃなかろうか。全行程の約半分を来たあたり。軽微とは言え負傷者のなかには、疲労で遅れ気味になる者も出てきたかもしれません。空腹と寒さも骨身にしみ始めてきたことでしょう。七十七歳の御老体、堀部弥兵衛は大丈夫だったのかな。

単調な一本道の道中、四十七士たちは、どんな言葉を交わしていたのでしょう。彼ら<ruby>彼<rt>あんど</rt></ruby>安堵を見かけた町人たちからの聞きとりの形で、「これほど疲れるとは思わなかった」「安堵

したから疲れたのだ」などの会話が残されていますが、子細のほどは、小説家の想像の
領域のなかにのみ存在しているのではないかと、ふと思いました。

本懐を遂げたこの段階になって、ようやく、内匠頭刃傷の理由について、語り合うこ
とはなかったのだろうか——そんな疑問も、わたしの頭をよぎりました。わざわざ書く
までもなく、これについては諸説乱れ飛んでおりますし、ごく一般的な「吉良の賄賂要
求・嫌がらせ説」は勧善懲悪的な魅力もあり、史実の裏付けの有る無しを別として、す
でに定番の説となった感があります。わたし自身は、忠臣蔵にも若干の係わりを持つス
トーリーの拙作『震える岩』を書いたとき、完全な内匠頭乱心説を採りましたが、現在
では、ちょっと違う考え方をしています。

たしかに、内匠頭乱心は、乱心だったのだろう。でもそれは、いわゆる通り魔的な筋
道の通らない狂気の爆発ではなく、勅使供応役を務めるあいだ、しんしんと心のうちに
積もり積もっていた吉良への不満や反感が、ああいう形で噴出口を見つけて吹き出した
——というものだったのではないかと思うのです。

ではその不満や反感の理由は何か？　それは、単純だけど、ひと言でいえば「相性が
悪かった」——これに尽きるのではないか。ちょうど、エリートサラリーマンが、日ご
ろから折り合いの悪かった上司を金属バットで殴り殺してしまったという事件にも似た、
悪いときに巡り合わせてしまった悪い組み合わせが産んだ悲劇だったのではないかと思

えて仕方がありません。

特に気になるのは、内匠頭が十代のときにも供応役をおおせつかっており、そのときの指南役も吉良だったということ。吉良は若くて素直な時代の内匠頭を知っており、か つ、両者ともにその当時よりは歳をとっている。その後の十数年のあいだに自我も固ま り、藩主としての面目や意地にも目覚めた三十代壮年の内匠頭。しかも、片方は身分上 も職務上も気位が高く、片方は気質的に神経質。

（昔はもっと素直だったのに）

（そうそう子供扱いされては困る、面目がたたぬ）

というようなそれぞれのストレスが、水面下に淀んでいたのでは……。

なんてことを考えているうちに金杉橋に到着。淀んだ川の上に浮かんだ釣り舟で、か ろうじて「橋」なんだなあと思うくらいで、目に入ってくるのは頑丈そうな歩道橋と、 忙しく気に行き交う大型車。第一京浜を見おろすビルは、傾きかけた日差しを照り返し、 かつての東海道の面影は、どこにも残されておりません。

それでも、歩いてみると発見はあります。たとえば、地下鉄の三田駅近くの三菱自動 車のショールームの前に、勝海舟と西郷隆盛が江戸城無血開城をかけてこの地で会見し たことを記す丸い石碑が立てられているのを見つけました。添え書きによると、このシ ョールームがあるあたりは、当時は一面の砂浜で、落語『芝浜』の舞台になったのもこ

こであるそうな。見返る人など誰もいない都会の片隅のこの石碑は、現在の東京のこの
繁栄の基礎の基礎を築いた明治維新の立役者の名前をひっそりと刻んで、西日に光って
いたのでした。

という次第で、最後の登り坂が死ぬほどきつかったけれど、結果的にはわたしたち三
人、泉岳寺まで徒歩で歩き通したのであります。時計を見ると、早夕方の五時半をまわ
っている。泉岳寺も参拝時刻はすぎていて、お線香をあげることもできず、とにかく帽
子を脱いで、はるばるやって参りましたとご挨拶。

しかし、夕方で人気がなかったせいかもしれないけれど、泉岳寺って、けっこう怖い
お寺です。忠臣蔵――いえ、赤穂事件の解けない謎が、そこに封じ込められたまま眠っ
ているからかもしれません。

その後わたしたちは、タクシーで飯倉元町まで移動。夕食をとったのですが、そのと
きのタクシーの運転手さんの話では、泉岳寺にお参りに来る人のなかに、新橋あたりか
ら歩いてくる人がいるそうです。

「赤穂義士の気分を味わいたいんでしょうね」

酔狂はわたしたちだけじゃなかったわけねと、ちょっと安堵しました。

さて、こんな具合でそれなりに無事に過ごした「両国～高輪　真夏の忠臣蔵」。歩く

全行程、徒歩にて踏破せり。本当に本当に、歩いた、暑かった、歩いた、であります。右は高輪泉岳寺、四十七士の墓どころ。お帽子を脱いで、敬礼。本当に、雪は消えても、消えのこる、名は千載の後までも……、ですね。

のも面白いですねという声もあり、不定期ながら、今後も企画として実行されそうに
なってきました。今のところわたしたちのあいだで取り沙汰されているネタがいくつ
か。

・「市中引廻しの上、獄門」の、市中引廻しコース。
・諸大名の登城コース。
・川崎大師へお参りコース（これは長距離だ！）。
・堀部安兵衛「高田馬場まであと三里」コース。
・「お江戸日本橋七ツ発ち」最初の宿場までコース。

などなどであります。　果たして、脱落者は出るか？　ミヤベの腎臓結石はいつ治る
か？

ほとんどどうでもいいような謎を抱えたこの企画、しかしご期待あれ！

※　**参考文献**
『忠臣蔵』第一巻・第三巻（赤穂市総務部市史編さん室）

『元禄忠臣蔵─その表と裏─』飯尾精（大石神社社務所）

『忠臣蔵　元禄十五年の反逆』井沢元彦（新潮社）

① **大沢オフィス【おおさわ・おふぃす】** 有限会社大沢オフィスというのは、ミヤベが所属しているマネージメント会社です。会社名にもあるとおり、もともとは『新宿鮫』シリーズを始めとする一連の作品で大人気のベストセラー作家・大沢在昌さんの個人事務所だったのですが、ミヤベも契約作家のひとりとして、事務仕事や映像化権の管理などを全部お任せして面倒みていただいています。

なお、同じく飛ぶ鳥落とす勢いの人気作家・京極夏彦さんもこのオフィス所属で、当代の人気男ふたりと一緒に働くミヤベはシアワセものであります。

大沢オフィスについては巷間ウワサされることが多く、「三人で事務所に机並べて原稿書いているらしい」とか、「すっげえ搾取がある」とかナンとか言われたりしているのですが、実はそんなこと、まったくありません。オフィスが六本木の元防衛庁にほど近い場所にあり、オッカナイ作家が三人所属しているので、出版各社担当編集者のあいだで「六本木の魔の三角区域」と恐れられているというのも、ただのウワサでありますよ。たったひとつの真実は、大沢・京極・宮部の三作家が外ではどれほどエラ

そうな顔してぶいぶいフカしていても、オフィスの代表取締役である大沢さんの令夫人と、本文中にもしばしば登場する〈京極さんの "どすこい (仮)"にも "出演" してます〉秘書の河野嬢にはぜーんぜん頭があがらないんだということだけでありますよ。コホン。

② **猛暑【もうしょ】** 皆さま、覚えておいででしょうか? 第一回目のお徒歩が決行された平成六年の夏。一年後にミヤベさんは「あのいっそ凶暴と評してしまいたかったほどの猛暑」と振り返っていますが (本書七五頁)、ウソは申しておりません。平均気温や一日の最高気温、熱帯夜の日数などのさまざまなデータが全国各地で "百年に一度" という記録更新続きで。「こりゃ、凄まじい」と感じたのは、朝日新聞の八月八日付け夕刊一面の大見出し。『この猛暑、非常事態/「日本人の適応能力超えた」医師ら警告』。

③ **寺坂吉右衛門【てらさか・きちえもん】** 赤穂義士の一人。吉良上野介を討ち、泉岳寺へ引き上げの途次、一党から離脱した。足軽、三両二分二人扶持。四十七士のなかでは軽輩に属し、離脱の理由は大石内蔵助の密命を受け、主君・浅野内匠頭未亡人の瑤泉院をはじめ、諸国に散った同志へ、討ち入りの報告をするためだったとも、単なる逐電だったとも、いわれている。

其ノ弐

罪人は季節を選べぬ引廻し

平成六年十二月十六日

小塚原刑場跡

伝馬町牢屋敷跡

鈴ヶ森刑場跡

筋違橋跡
（万世橋）

小石川御門跡
御茶ノ水

四谷御門跡

牛込御門跡

四谷見附

赤坂御門跡

（赤坂見附）

両国橋

日本橋

京橋

八丁堀

新橋

池袋

日暮里

上野

浅草門

蔵前

新宿

神田

新潮社

皇居

東京

文藝春秋

中央公論社

江戸橋

渋谷

品川

大井町

大森

新田川

北千住

東武伊勢崎線

千住大橋

南千住

日比谷線

常磐線

0　1　2　3　4 km

今回は、のっけから切り口上。

小説新潮編集部に、わたくしミヤベはお尋ね申し上げたい！

何故に、時代小説大特集号を、年二回、真夏と真冬に刊行なさるのでございますか？　どうして、春や秋じゃいけないんでございましょうか？

この特集が夏冬にあるばっかりに、酷暑か極寒の折ばかりを選んで江戸市中を歩き回らねばならないじゃありませんか！

なぁんていう涙の訴えはまあほどほどにしておきまして、「平成お徒歩日記」第二回目のお目見えであります。前回、ほとんど冗談半分に始まった本企画でありますが、あちらこちらで「読んでるよ」というお声も頂戴し、某週刊誌上の時評①にも取り上げていただいたりして、もったいないほど、なかなかの好評。調子に乗って、ミヤベ、にこにこ顔で再度運動靴に足元を固め、リュックタを開けてみたらとても楽しかったし、

サックを背負うこととあいなりましてでございます。

1　真冬の引廻し

　さて、第二回目はどこを歩こうか？　わたしと担当のニコライ江木氏とで、コース選択に頭を悩ませ始めたのは、昨年十一月末ごろのことでした。

「前回は、言ってみれば『武家もの』でしたよね。今回は、町場（まちば）の暮らしにも関わる道筋というのを選びたいところですが……」と、ニコライ江木氏はおっしゃる。

「年明けに載せてもらうことになりますから、どこかに初詣（はつもうで）に行きましょうか。川崎のお大師さまとか」と、企画の段階では大きなことを申し上げるミヤベ。

「それならいっそ、大山（おおやま）参りなどは？」と、話に輪をかけるニコライ江木氏。

「だけど、それだとお正月がつぶれちゃう」

「そうですねえ。目出たいコース取りではあるんですが」

「目出たいということなら、この企画自体がそもそもオメデタいんだから、もう充分ですってば」

　喫茶店でコーヒーなど飲みつつ、わたしたちが気楽に案を練ることのできた、理由は

ただひとつ。この冬が記録破りの暖冬であるからでした。

「もともと、歩くには、真夏よりは真冬の方が楽ですよね。そこへもってきて、このポカ陽気ですから、今回は楽勝ですよ」

「少し長い道筋でもいいかもね！」

能天気にはしゃぐ我々に、しかし天は無情であったという件はのちほどご説明することとして、このときわたしの頭に、ふと魔のようなものがかすめました。

「逆に、うんと不吉なコース取りをしてみるというのも、一興かもしれませんぞ」

「不吉というと？」

「ほら、例の引廻し」

前回の「真夏の忠臣蔵」のあと、次はどこにしようかと、いくつか腹案を出しておいたのですが、そのなかで、いちばんウケがよろしかったのが「市中引廻し」コース。わたしはそれを思い出したのでした。

『市中引廻しの上、獄門』ていう台詞は、テレビの時代劇とかでもお馴染みでしょ？でも、あの正確なコースっていうのは、案外知られてないんじゃないでしょうかね。目出たい新年に、あえてそういうところを歩いてみるというのも面白いかも」

「そうですねぇ……」

ニコライ江木氏も乗り気になりました。

「そうすると、出発点はやはり伝馬町の牢屋敷。ゴール先は二ヵ所になりますね。刑場の、小塚原と鈴ヶ森」

「そうそう。それも、何か理由があってどちらかに振り分けられるのか、それともその時の都合で適当に決められるのか……」

「そういえば、知らないですよね」

というわけで、第二回目は市中引廻しコースで、決行日は十二月十六日と決定。喫茶店を出てみると、外は快晴、ぽかぽかと暖かい。いやホント、今回は楽ですよー、などと言いつつ、あくまでも明るく準備にかかったわたしたちなのでした。

ところが。

本企画には、「ところが」が多い。しかも、ひとつひとつの「ところが」が、みんな致命的であるというところに特色があります。

ニコライ江木氏から、妙にうち沈んだ声で電話がかかってきたのは、打ち合わせから数日後のことでした。

「ちょっと下調べしてみたんですが……」

「わ、ありがとう。どうです?」

このときミヤベは、いわゆる年末進行というもので〆切が繰り上がり、大鉢巻きで他社の原稿を書いていたものですから、まだ市中引廻しの実態については何も調べてなか

ったのです。したがって、非常に呑気な声を出しておりました。

「それがですね、引廻しにも二種類ありまして──」

ひとつは、「江戸中引廻」。これは、牢屋敷から出て牢屋敷に戻るというコース。当然、処刑も牢屋敷のなかで行なわれることになります。道順は、

「牢屋敷裏門より小伝馬町、小舟町、荒和布橋、江戸橋を渡り、元四日市町、本材木町一丁目、海賊橋を渡り、坂本町河岸通、八丁堀、北紺屋町、岡崎町、松屋橋を渡り、因幡町通、南伝馬町、京橋を渡り、芝車町まで、それより引き返し、同所通新町、同所三田赤羽橋を渡り、森本町、飯倉町、溜池端通、赤坂田町、四谷御門外、市ヶ谷御門外、御堀端通、左へ牛込御簞笥町、同所通寺町、それより牛込御門外、小石川御門外、御堀端通、水戸殿屋敷脇より右へ壱岐坂を上り、本郷御弓町、同所春木町、湯島切通町、上野山下より下谷広徳寺前通、浅草寺雷門前、浅草今戸町、それより引き返し、御蔵前、浅草御門、馬喰町、牢屋敷裏門まで」

現存している地名も多いのですぐに見当がつきますが、これは「江戸中」の言葉どおり、当時の江戸城のぐるり。現在の都心のなかでは、かなり小さい円を描いて回るコースなのですね。

「これだと街中ばっかりだし、刑場が入らないのでツマラナイ」と、依然として気楽なミヤベは申しました。こういう機会がないと、小塚原や鈴ヶ森など訪れるチャンスがな

いので、ぜひ行ってみたかったし……。

「そうでしょう？」と、ニコライ江木氏。「で、もうひとつあるんです」

もうひとつのコースが、「五ヵ所引廻」。これは、牢屋敷を出たら、日本橋、赤坂御門、四谷御門、筋違橋および両国橋という五つのポイントを通りながら、お仕置き場つまり刑場である小塚原や鈴ヶ森に到るという道順です。五つのポイントには、「捨札」という、罪人の氏名、年齢、罪状を書き記した札が立ててあります。このあたり、オリエンテーリングみたいですね。

「やっぱり、そっちでしょう。五ヵ所引廻でいきましょうよ」と、ミヤベ。

「たしかにそっちの方がいいと思うんですけど、でもこれだと、合計何キロになると思います？　二十キロですよ」

にじゅっきろ。

目が点になりました。

「そんなに長いのですか！」

引廻しコースの企画を立てたとき、わたしの（そしておそらくは担当ニコライ江木氏の）頭のなかには、「そうゆうコースが、それほど長いわけはなかろう」と、たかをくくった考えがありました。引廻しはそれ自体が目的なのではなくて、刑場までの移動のあいだを利用して、道中で行き会う人たちの前に罪人をさらすことができればいい——

という程度のものだろうと思いこんでいたのです。

でも、実態は違いました。「引廻」は、引廻すことそのものに目的があったのです。

ひとつには、「ほれ、罪人はこのようにちゃんと捕らえたぞ、安心せい」と知らせるた
め。もうひとつには、「悪いことをすると、このような目に遭うのだぞ」と警告するた
め。

「一日がかりの処刑ですね」と、ニコライ江木氏。

「えどのひとびとはけっこうねんちゃくしつだったのでありますね」と、オドロキのあ
まり漢字も忘れてお子さんに戻ってしまったミヤベ。「わたしいきたくないです」

「そうはいきません！」と、にわかにテキになるニコライ江木氏。「でもまあ、都心ば
かり歩いてもつまらないですからね。今回の目玉はあくまでも刑場。道中は、適宜早駕
籠を使うことにしましょう。陽も短いですからね」

ニコライ江木氏のお言葉に、ホッと安心。あとでツラツラ考えたのですが、徳川幕府
が治めていた当時の我が国は、いわば軍政国家、警察国家であったわけです。そういう
政治体制の下では、刑罰は重くしつこく、広く公開されるものであるというのが原則。
一種の恐怖政治ですからね。引廻しが長時間を要するものであるのは、あったりまえだ
ったのです。

でもまあ、暖冬だからいいや……とわが身を慰めつつ、その日の到来を待つミヤベな

のでありました。

2　毒婦みゆき、小伝馬町を出発

さて、当日十二月十六日。

起きてみたら、めちゃめちゃ寒い。北風吹きまくり。天気予報を見れば、本日の気温は平年より三、四度低いとのお達し。

暖冬はどこへ行ったんだぁ！

泣きながらセーターを着込み、途中でコンビニに寄ってホカロンを買い込み、営団地下鉄日比谷線小伝馬町駅のホームにて、ニコライ江木氏とカメラマンのマック田村氏とおち合いました。ホカロンの分だけ、ミヤベ、遅刻。

今回はこの三人にての道中です。三人とも厚いコートに運動靴にリュックといういでたちは同じですが、帽子をかぶっていたのはわたしだけ。夏じゃないから――と二氏はおっしゃいましたが、帽子は防寒具にもなるんですよ。もっとも、ニコライ江木氏は前回、日除けの帽子をかぶって自宅を出ようとした際、細君に「それだとヘンシッシャみたいに見えるからやめてください」と止められたというエピソードの持ち主であります。

小伝馬町駅の階段をあがって、すぐに左手に折れます。と、ビルに囲まれたなかに、見えるのは小さな公園。その名も「十思公園」。柵の内側に「伝馬町牢屋敷跡」と書いた看板が掲げられています。現在の小伝馬町駅周辺は、立派なビジネス街。道路は広く、午前中から忙し気に車が行き交っています。十思公園となっているのは、当時の牢屋敷のほんの一部で、あとはこのあたり一帯のビルの下になってしまっているわけですが、雰囲気としては明るく、「史跡」という角張った雰囲気もありません。

この地に牢屋敷が建てられたのは、慶長十一年（一六〇六年）のことであります。家康が征夷大将軍になったのが一六〇三年、江戸城が修築されたのが一六〇六年。多少のずれはあるにしろ、江戸開幕して早々に、牢屋もつくられたと考えてよいでしょう。牢屋敷ができるまでは、常盤橋のあたりに、囚人を集め預けておく屋敷があったらしい。

さて、当時でもこの伝馬町は町中でした。『続・時代考証事典』によりますと、牢屋敷内の囚人たちの声が聞こえる範囲内では、地代や店賃が安かったそうで、やはり気味が悪かったのでしょう。

わたしは、伝馬町の牢は、現在でいうところの「拘置所」だと思っていたのですが、これはとんだ誤解でした。牢屋敷は、未決勾留者を留置する拘置所的な役割をするものであって、断じて刑務所ではありません。当時は、今の「懲役刑」という概念はなかったからです。永牢、過怠牢という今の「禁固刑」に当た

るものもありましたが、これは例外。「刑罰」とは、あくまでも、追放とか、遠島とか、入墨とか、磔、獄門などであります。ですから、牢屋敷につながれている囚人は、まだ吟味中であるか、吟味が終わり刑の言い渡しを待っているかの、いずれかの立場にありました。

ただ、牢屋敷内には処刑場もあり、ズバリ「切り場」と呼ばれていたそうです。先述した「江戸中引廻」のあと死罪にされる罪人は、この切り場で斬られたわけですね。近所の人たちが気味悪く思うのも当然であります。

さらに、いよいよ我々が乗り出そうとする「引廻」でありますが、これは付加刑──つまり、本当の刑罰にくっつけられている刑罰であって、これだけが単独で行なわれるということはありませんでした。付加刑がつけられるのは、原則として「死罪」（打ち首、斬首）以上の刑を受けた場合です。

付加刑には、他に、

「鋸引き」道に穴を掘って罪人を埋めておき、通行人に鋸でその首を引かせる（引いた人がいるんでしょうね、凄い話だけど）。

「晒」心中未遂の男女、女犯の所化僧などが、橋の上など通行人の多いところに引き据えられ、脇に例の捨札を立てられて、文字どおり衆人の目にさらされる（現代ではこれを、テレビのワイドショーが出張していってやってるわけです）。

「闕所」　財産を取り上げる（これなんか、現代でも、場合によってはいちばん効き目がありそうですな）。

なお、死罪以上の刑とは次のものです。

「磔」　十字に組んだ材木に罪人を張り付け、槍で突く。

「火罪」　同じように張り付けた罪人を焼き殺す。いわゆる「火あぶり」ですね。放火をすると、この刑を受ける。

「獄門」　斬った首を刑場でさらす。

獄門首が獄門台の上でカッと目を開く——なんていうのは、怪談映画によくありますね。

「ところで、ミヤベさんはどんな悪いことをしたんです？」

小伝馬町を出発しようとしたとき、マック田村氏がわたしに訊きました。

「これから引廻しになるわけでしょう？　罪状は何にしましょうか」

おっとっと。しかし、そうですね。

「毒婦みゆきっちゅうわけですね？」

いきなり盛り上がる我ら三人。

「毒婦かぁ！　懐かしい言葉ですね。死語ですね」

③「高橋お伝！」

「何をやりましょうかね、ワタシ。殺し？　盗み？」

テレビの遠山の金さんなどを見ていると、刑の多寡は御奉行様のさじ加減でどうにでもなるような錯覚を覚えがちですが、これもとんでもない誤解で、江戸時代、犯した罪と科せられる刑とのあいだには、ちゃんとした決まり事がありました。たとえば、死罪で引廻しにされるため（？）には、

・物を盗む盗まぬは別として、通算で五度以上、他人の家や土蔵に侵入

・放火未遂

・偽薬を売る

・辻斬りをする

・飛脚が書状を途中で開封したり、金子の封印を破る──等々。

引廻しで獄門となると、

・金子を受け取って貰い子して捨てる

・主人の妻と密通

・人を殺して物を盗む

・毒薬を売る

・偽秤をつくる

・舅、伯父、伯母、兄姉を殺す（姑や弟妹ならいいのかな？　これ、極端な尊属殺人罪ですね）

・支配人、請人（身元引受人）、名主を殺す——等々。

・主人を傷つける（傷害でも死刑というのがオソロシイ）——等々。

・偽金銀をつくる

・夫を殺した姦婦（言葉からして凄い）

引廻して磔となると、

どれもあんまり気乗りしないなあ——と思うミヤベ。しかし、毒婦みゆきと呼ばれるからは、偽秤をつくったくらいじゃ駄目でしょう。

「やっぱ、夫殺しかなあ。味噌汁に石見銀山ねずみ取りを盛ったりして」

「姦夫と通じて夫殺し！　いいですねえ！」と、盛り上がりまくるニコライ江木氏とマック田村氏。

つかまっちゃうところがドジだよな、と、一応推理作家としての不満もありますが、

まあいいや。ワタクシ、夫を殺しました。姦夫はどうしたかって？　逃げちゃいました の。

こうして、夫殺しの毒婦みゆきは、お仕置き場へ向かうことにあいなりました。

3　道中のあれこれ

わたしたち、まずは新橋方向へと足を向けました。

「ところで、馬はどこ？」と、ミヤベの逆襲。「引廻しの罪人は、裸馬に前後逆さまに乗せられてるでしょう」

歩かずにラクしようと思ったのですが、無視されてしまいました。でも、ここでまたひとつ面白いことが。

「今、逆さまに乗せられてるって言ったけど、当時の絵を見ると、みんなちゃんと前を向いて馬に乗せられてるのよね。映画とかドラマだと、逆さまだけど。どちらが本当なんでしょ」

江戸期の引廻しの様子や、磔や火罪の場合の罪人の縛り方、磔刑場の人の配置などを描いた絵図はいろいろ残されています。それを見るかぎり、罪人はみんな前向きに馬に

乗ってる。その前を、槍を掲げた役人が歩いてゆくのです。

見せしめのための「引廻」は、古く平安時代から始まっています。当時はこれを、「大路を渡す」と称していたとか。このころ、都（京都ですね）から流罪と決まった者については、流刑地に送る際に、その者の家から都のはずれまで、馬あるいは輿（身分のある人の場合）に後ろ向きに乗せた――という記述が、平凡社の大百科事典の中に出てきます。さきほどの決まり事に従えば、江戸期には、「引廻の上、遠島」ということはないはずですから、後ろ向きというのも、なかったのかもしれない。

それともうひとつ、前述した「小塚原と鈴ヶ森を、どういう根拠で振り分けるのか」という疑問点。これも、ニコライ江木氏とわたしが調べた限りでは、今ひとつはっきりしないのです。漠然と、江戸の西側で罪を犯した者は鈴ヶ森、東側だと小塚原という区別かなと思ったのですが、これだと、例外もいっぱいあります。このあたり、詳しい方がおられましたら、ぜひご教示くださいませ。

さて、わたしたちは、クリスマス・シーズンを迎えてわきたつ街中を、場違いなピクニックみたいな格好で歩いていたわけですが、当時の引廻しご一行のいでたちは、どんなものだったのでしょうか。ものの本によると、

「南北町奉行所から各一人、与力二騎、同心各二人が出役し、罪人には縄をかけて馬に乗せる。前後を二十人余が抜身の槍、捕具などを持って固め、先頭に罪状を書いた紙の

幟と木の捨札を掲げて行進」とあります。

「この、幟には面白いエピソードがあるんです」

銀座の町を歩きながら、ニコライ江木氏が言いました。

「雇われ人が主人を傷つけただけでも、引廻しの上、磔でしょう？　主人の方に非があった場合は、可哀想ですよね」

「うん。そういう場合は、情状酌量とかなかったんでしょうか」

「ないんです。ただし、この場合、傷つけられた主人は、処刑が終わったあと、加害者である雇い人の犯した罪状を書いたこの紙の幟を、おかみから下げ渡されることになってたそうなんですよ。しかも、もらったら捨てちゃっいけない。ちゃんと保管しておかないとまずいんです。『幟しらべ』といって、おかみが、保管してあるかどうか検査しに来たんですね」

これはまたオドロキ。ねちこい刑罰ですねえ。

「今で言う『監督不行届』の罪を、主人の側も負わなければならないシステムになってたわけだ。幟ひとつが、ワンペナルティ」

「そう、そう。嫌だったでしょうねえ、幟をもらうの。けど、断われないから」

「恨みの幟」とかいう短編が書けそうなお話であります。

そのほかにも、引廻しについては興味深い話がたくさんあります。たとえば、ほとん

ど一日がかりのこの道中のあいだ、罪人だってお手洗いに行きたくなったり、喉が渇いたり、お腹がへったりしたことでしょう。そのあたりはどうだったのか。

「適宜、休憩はとっていたようですね。それに、死出の旅路ということで、罪人が望めば、たいていのことはかなえてもらえたらしいです」

あれが食べたい、これが飲みたいとねだっても、「馬鹿者！」と一蹴されるわけではなかったわけです。

トンデモナイ話としては、こんなのもあります。引廻しの道中、路上の見物人のなかに、乳飲み子を抱いた若い母親がいました。彼女が赤子に乳をやっているのを見て、罪人が、「あの乳が飲みたい」と所望（なんちゅうヤツだ！）。すると役人はどうしたか？

若い母親に命じて、飲ませてやったそうです。いい迷惑ですね！！！

でも、同時にこの話、当時の人びとにとって、「引廻」がある種のイベントであり、けっこう面白がって観るべきものであったということも伝えています。そうでなきゃ、赤子を抱いて観てるわけがない。

「江戸中引廻しでも、けっこう融通がきくもので、たとえば被害者の住んでいた町へ寄って、遺族に間近で罪人を見せたりもしたそうです」

そうすると毒婦みゆきなどは、夫の親兄弟に「この鬼女め！」とかののしられつつ、引かれて行くことになるわけですな。

　五ヵ所引廻しコースは、先ほども書きましたが、お堀端をぐるりと回り、主要な御門の前に立てられた捨札を通過してゆく道順です。わたしたちの徒歩旅行も、街中ばっかりで変化がない。クリスマスに浮かれるデパート街や、歳末に忙しがってるビジネスマンが行き来する道を歩いてゆくと、気恥ずかしいような感じもします。しかも、話題がコレでしょ。

「引かれ者の小唄（こうた）ってのは、ホントにあったんでしょうかね？」

「昔から、強がりのヒトはいたでしょうからね」

「さっきから出版社のそばを通るよね」

　都心には、大手出版社がたくさんあります。中央公論社のそばも、集英社のそばも、文藝春秋のそばも通過しました。

「わたし思ったんだけど、一年のうちに、大手五社の雑誌でひとつずつ原稿オトしちゃったら、その作家を五ヵ所引廻しにするとか、ないかしら。担当者が槍持って先導して、編集者がみんな出てきてケンブツするの」

「それで半蔵門で晒にする」

「そうそう」

「そういうこと言うと、墓穴（ばけつ）掘りませんか」

　なんてことを言ってるうちに午後も三時をすぎてしまい、みかん色の日差しがぐっと

4　刑場　怖いか悲しいか

　鈴ヶ森の刑場跡は、広い道路のなかに柵で囲まれた小さな緑地帯になっており、「史跡鈴ヶ森刑場跡」という立派な塔が建てられていました。視界の開けているところでもあり、まだ夕日が明るく輝いている時間帯でもあり、恐怖心は感じません。

「寒いよー」というだけ。

　ここまで連れてきてくれた運転手さんが、非常によく道を知っていて、迷ったり探したりすることがなかったので、訊いてみました。

「以前にも、来たことありますか？」

「ありますよ」

「こういうところを観にくるヒトって、いるんですか？」

「けっこう、いますよ」というお返事。「歴史の好きな人には、やっぱりそれなりにポ

　斜めになってきました。急がないと、鈴ヶ森や小塚原で写真を撮ることができなくなってしまいます。お仕置き場まで、掟破りの早駕籠に乗り、ぴゅうっとひとっ飛び！

イントになる場所じゃないですか」

史跡の場所は品川、第一京浜沿いの広いところです。道々、早駕籠の窓からは、大き
な倉庫や企業のビルばかりが見えました。処刑場があった場所というイメージがありませ
ん。処刑場をつくっても良いと思える当時の江戸の町外れと、現在の東京の範囲とがまっ
たく違っていることが、端的に現われています。

それでも、柵で仕切られた内側は、こちらの気のせいもあってかやや暗く、当時のも
のがそのまま残されているという「首洗いの井戸」（水はわいてません）や、罪人たち
の菩提（ぼだい）を弔うために安置されているお地蔵さまのお顔なども険しく感じられました。が、
笑ったのは、この柵の脇に売店があったこと。ここでお茶飲むヒトが、いるんですね。

観光地だ。

でもね、この売店のすぐ右隣には、ここが史跡である所以（ゆえん）の、⑤八百屋お七を火罪に
したときも使われたという礎石と、同じく礫台を立てるときの礎石とが、ふたつ並べて
安置してあるんですよ。

火あぶりのための材木を立てる礎石は丸く、礫（はりつけ）のためのそれは真四角で、それぞれ
開けられている穴の形も、石の形に対応していました。礫用の礎石の方が、火あぶり用
よりもひとまわりぐらい大きいようです。

ふたつの礎石の真ん中には花が飾られ、わたしたちもそこで拝んだのですが、ふと目

「お若えの、お待ちなせえやし」。歌舞伎ファンなら、『鈴ヶ森』の幡随院長兵衛と白井権八の出会いの場の、この台詞を思い出すはず。しかし、現在の鈴ヶ森には、いなせな名場面を偲ばせるものは、あまりなかった。残念。

をあげると、お七の死んだ礎石の上においかぶさるようにして、夏ミカンの木が生え

ていて、たわわな実が木枯らしに揺れています。

「さすがに、これをもいでゆく人はいないんでしょうね」

史跡として整えられているのに、かえって、印象の明るくなっている鈴ヶ森。道路の

反対側には十四階建てのマンションがあり、西日を受けて、ベランダの洗濯物がひらひ

らしています。

柵の手前には、この史跡を整え、刑場跡を守り、昔ここで露と消えた人たちの菩提を

弔うお寺さんを建てるため、寄進をした人びとの名前を列記した札が立てられています。

その数の多さを見れば、この地の方々が刑場跡の歴史を悼み、敬意をもって接している

ことはよくわかりましたが、陰惨なイメージなど、探しても見つけることはできません

でした。

ところが、ね。

身を転じ、夕日と追いかけっこをしながら駆けつけた小塚原はどうだったか？

これがもう、震えあがるほど怖かった！

南千住駅のすぐ近く。大きな歩道橋の陰に隠れるようにして、昔の小塚原刑場跡は残

されています。むろん、鈴ヶ森と同じく、これはかつての刑場のほんの一部。大部分は、

町場のビルや家や道路の下になってしまっています。

道路に面して大きな鉄の門。ギシリと開けてなかに踏み込みます。西の空に一筋の陽光の残滓。しかし、周囲は真っ暗。ようやく慣れてきた目に、やがて、視界をふさぐように踏ってそびえる大きな仏像が見えてきます。これが通称「首斬り地蔵」さま。小塚原で死んだ罪人たちを守る大きな仏さまであります。

この大きなお地蔵さまは、地上二階ぐらいの高さのところにどんと座っておられましって、周囲を石塔が囲んでいます。お地蔵さまの足元まで、石段をあがってゆくと、どきり！

首斬り地蔵さまの背後には、真っ暗な墓場が広がっているのでした。

この墓地は、隣接するお寺さんの墓所。つまり、現在現役のお墓です。余所さまのお墓をやたら怖がるのは失礼千万のお話ですが、不肖ミヤベ、やはりこの石段のてっぺんにのぼったときには、二の腕に鳥肌が立ちました。

しかもこの境内には、供養のためにでしょうか、供えられたたくさんの風鈴が、夜風に吹かれてちりちりりんりんと鳴りさざめいているのです。同じ場所に、隣接するお寺の経営するペット用墓地もあり、なんというかもう、魂の底がちりちりするような恐ろしさ。

　と、暗がりのなかでわさわさしていたわたしたちの顔が、轟音とともに、ぱあっと明るくなりました。何だ？　と色めきたちつつ振り向くと、墓地の向こう側を、常磐線の電車が通り過ぎてゆくのです。惚けたようにそれを見送ると、今度は反対側から営団地

下鉄日比谷線の電車が走ってくる。そう、この墓所と首斬り地蔵さまは、ふたつの線路にはさまれ、高架に見おろされて存在しているのであります。

境内には、小塚原刑場の歴史をしるした石碑もあったのですが、暗いのでほとんど読めず。ただ、折から電車の通過の多い時間帯で、どうっとくるたび、その明かりで二、三行ずつ読んでゆくことならできるかな、という感じです。そのなかの一文によると、昔、亡骸を埋める際、穴を深く掘らなかったので、野犬がやってきて死体を掘り返し、食い荒らすことも多かったとのことです。

鈴ヶ森と比べて、小塚原はどうしてこんなに怖いのだろう……。あまりにも多くの家やビルの立て込んだ街中に、ここだけぽかんと、異空間のように開けているからではないか、と思いました。境内から一歩外に出れば、すぐに居酒屋があり、明かりの輝く商店街がある。駅前を人が行き交う。これは、鈴ヶ森と大きく違います。生者と死者のギャップがまがまがしく感じられる分、小塚原の刑場跡は、まだ史跡になりきらず、現在を息づいたまま歴史を背負って残されているという気がするので す。

もっとも、南千住の有名な鰻の老舗「尾花」で美味しい夕食をとったあと（鰻も茶碗蒸しも絶品）、あとから合流した編集長の発案で、「とっぷりと夜になってからもう一度行ってみましょう」ということになり、及び腰に再び鉄門を開けてみたときには、

ぶるぶる。小塚原は首斬り地蔵さまの前で。

「あれ？」

夕刻訪れたときほど怖く感じなかったのでした。なんでかな？

「やっぱり、さっきは黄昏時だったから……」

「逢魔ガ時とはよく言ったもんですね」

見あげる首斬り地蔵さまのお顔も、どことなし苦笑しておられるような。

考えてみれば、罪人となり、死刑になる人びと――とりわけ深い業を背負った人びとの魂を救う仏様が、ここにはおられるのです。それだけ強い仏様が番をしておられるわけです。怖がることなど、ホント、非礼でこそあれ、根拠のない話なのかもしれません。

（それに、死んだヒトはみんな、ホトケさまになっちゃってるんだものね。もう悪いことなんかできないんだから）

生きてる人間の方がよっぽど怖いよ、ほらごらんよ、あそこも、あそこも――小塚原刑場の跡には、そういう囁きが、ひそやかな苦笑が満ちているようにも思えます。

今回は場所が場所だからと、家を出るとき、ミヤベは一応、お清めの塩をリュックに入れてきました。鉄門を出たところで、一同にそれを振りかけて、夜空に一礼。駅に向かうわたしたちを、闇のなかの首斬り地蔵さまが見送っていました。

お徒歩日記の第二回、インパクトの強いお散歩ではありませんでした。でも、行ってみてよ

かった。第三回は、また真夏です。今度は少し江戸を離れてみようかという企画も出てきております。つまりは遠出ですよ、遠出。

おお我らの健脚、いつまで保つことか？　ミヤベの命運や如何に？

※　**参考文献**

『図説 江戸町奉行所事典』笹間良彦（柏書房）

『拷問刑罰史』名和弓雄（雄山閣）

『江戸の刑罰』石井良助（中公新書）

『江戸学事典』西山松之助ほか編（弘文堂）

『続・時代考証事典』稲垣史生（新人物往来社）

『復元・江戸情報地図』吉原健一郎ほか編（朝日新聞社）

① 某週刊誌【ぼう・しゅうかんし】

MONTHLY REVIEW
●小説雑誌から──岡崎武志

高村薫のページには、栞がついているのである。分厚いページのどこから読もう、ページを繰っていると、彼女の署名があるところで必ず手が止まる「夢にも思わない」の探偵にした（《小説中公》九月号）も快調だが「真夏の忠臣蔵」（《オール読物》九月号）「罎」は、現代の大阪を舞台に、一定の時間的間隔をおいてヨセフ（一世並び）という男を追い続けている長編。本作が第三話。

もう一人、ページを繰る手を止めさせる旬の作家というのがいて、どこから読もう、鬼籍に入った吉行淳之介への追悼を各誌が特集している方、周りの人間に対する気の使い方、殺人者に対しての一流の使い方、いきなり二十六歳の高校生六犯の、第一弾は忠臣蔵。四十七士が討ち入り後に歩いた吉良邸から泉岳寺までの道筋を辿る。しかし、小説ではなくルポ。宮部の但し、小説ではなくルポ。全行程10〇を歩くと、殺人者の季節はまるが、自説や発見を織り交ぜ、けっこう楽しく読ませてしまうところはさすが。鬼籍に入った吉行淳之介への追悼を各誌が特集している。周りの人間に対する気の使い方、殺人者に対しての一流の使い方、その豊饒で誰もが共通している指摘し、「重い骨」と「軽い骨」が友情の回想か、文章の重みにおいて印象的だ。ほかに、「小説新潮」の三浦春夫と森村桂の対談、私たちの平家物語、異色の組み合わせながら読みこたえがある。

「サンデー毎日」平成六年九月十八日号より

② 記録破りの暖冬【だんとう】

記録は破られるためにある、と申しますが、平成六年は夏といい、暮れといい、天変地異の相次ぐ年でありました。

③ 高橋お伝【たかはし・おでん】幕末から明治初期に実在した"毒婦"。最初の夫が病に倒れると毒殺し、上京。

身を売って生計を立てつつ、情夫を囲い、不義理の借金を重ね、カネ目当てで古着商を浅草蔵前の宿屋へ連れ込み、殺害。数日後、斬首の刑となる。彼女をモデルにした、仮名垣魯文の戯作『高橋阿伝夜叉譚（たかはしおでんやしゃものがたり）』は明治初期のベストセラー。

二人の才女がやはり目をひく

④ 小塚原と鈴ヶ森【こづかっぱら・と・すずがもり】

これはやはり罪人の犯行場所がどこだったか、また江戸出生の者は、日本橋を境に南側のヒトは鈴ヶ森、北側は小塚原ということによって振り分けられていたようです。ただし、幕末の実録によれば、小塚原の方が使用頻度が高かったということも。

⑤ 八百屋お七【やおや・おしち】浄瑠璃や歌舞伎などに何度も取り上げられたヒロイン。巷説では、一六八二年暮れの大火のとき、お寺に避難し、そこで出会った小姓と恋に落ちる。火事になれば、あの小姓にまた会える、と再会したい一心で付け火し、火あぶりの刑に処せられた。

其ノ参

関所破りで七曲り

平成七年七月十七、十八日

富士山

早川

小田原

小田原城

箱根湯本

塔ノ沢

大平台

宮ノ下

強羅

初花の滝

箱根登山鉄道

小涌谷

湯本

箱根

旧東海道

畑宿

二子山

甘酒茶屋

お玉ヶ池

箱根新道

関所跡

杉並木

七曲がり

東海道・山陽新幹線

根府川

東海道本線

真鶴

湯河原

熱海

来宮

新丹那トンネル

丹那トンネル

函南

0 1 2 3 4 5 km

さて、三度やってまいりました平成お徒歩日記であります。

「ところで、そろそろなんですよね、例の企画……」

と、担当者ニコライ江木氏が陰鬱な口調で切り出せば、

「そうなんですよね……」

と、応じてうなだれるミヤベ。場所はミヤベ仕事場近くの某喫茶店──という風景が見られましたのが平成七年の四月。言い出しっぺで引くに引けなくなった哀れな作家とそれに引きずり回される編集者という見るも哀れな組み合わせの図でございましたが、この夏は、去年のあのいっそ凶暴と評してしまいたかったほどの猛暑ではなさそうだということのみが唯一の救い。

「で、どこに行きましょうか」

「今回は、ちょこっと江戸を離れてみるというのも一興かも」

これは昨年、真夏の都会のアスファルトの照り返しほど過酷なものはないということを学習したミヤベの提案。あとね、林立するビルの外壁からの照り返しもバカにならないんですよ。

「そうですね。うちの編集部の高梨から、旧東海道の松並木が残っているような場所を選んで、当時の旅の一日分の行程を歩いてみるのはどうかという提案があるんですよ」

「あ、それ面白い」

「それと編集長からは、新撰組の足跡を追うというのはどうかと」

「……歩くのはいいけど、自慢じゃないけどわたし、幕末のことは全然わからない」

「だから、これを機会に勉強するわけですよ」

おっしゃるとおり。この企画には、歴史に無知なミヤベに学習の機会を与えるという目的もあるのです（というか、そっちの方がメインだったんだ！）。

しかし読者の皆さま。このときミヤベとニコライ江木氏それぞれの胸中には、

（今回ぐらいはラクしたい……）

というフラチな夢が渦巻いておりまして、その一点だけは言わず語らず以心伝心。故に、

（どこへ行けばラクができるか？）

ということばかりに心がさまよい、はっきり言って目はウツロ。全然熱が入りません。

それでもまあ、新撰組はちょっといいかな近そうだし——などとミヤベが考えておりますと、ニコライ江木氏がにわかに編集者的目つきになりつつ、ふと呟きました。

「前回の、毒婦みゆきというのはウケましたねえ」

「これからどなたかが『新・悪人列伝』を書いたら、確実に載せてもらえるというくらいだったよね」

「毒婦シリーズというのはどうですかね？」

「だけど、わたしあれで磔になっちゃったんじゃない？」

「ですからそれですよ」と、ニコライ江木氏。「磔の寸前に助け出されて逃亡したという わけ」

なんと、西部劇のようではないか。

「逃げ出して、江戸を出奔？」

「そうです。その場合、どこへ行きますかね？」

二秒ほど、ミヤベ沈黙。ニコライ江木氏にんまり。ややあって、同時に言うことには——

「そりゃやっぱり、箱根だよね！」

という次第で、毒婦みゆきの第二章、箱根関所破りで逃亡の巻ということに決定したのであります。おお、温泉が我らを呼んでいる！

1　まずは小田原、北条氏

今度のお徒歩は箱根行きだよ——と、ミヤベが大沢オフィスの河野嬢に報告しますと、彼女曰く、

「ああ、箱根ならいいですねぇ。ロマンスカーでさっと行けるし」

「違うんですか？」

「新幹線で行くの」

「新幹線て、箱根には停まりませんよ」

「小田原で降りて、あと歩くの」

河野嬢は大沢オフィスの扇の要であり、ちょっとやそっとのことではビックリしないヒトなのですが、このときは絶句しました。そういえば彼女はヘヴィ・メタルをこよなく愛するアイアンハートの女性なのです。

重金属コウノ嬢、呆れ果ててやっとひと言。

「——行ってらっしゃいませ」

という具合に、お徒歩隊がまず降り立ったのは小田原駅。七月十七日月曜日、午前十一時ごろのことでありました。なお、今回の編成には、ミヤベとニコライ江木氏、カメラマンのマック田村氏というついものメンバーに加えて、ミヤベの文庫担当者阿部さんが参加してくれました。阿部さんは懐かしの「ひょっこりひょうたん島」のハカセそっくりの風貌。故にハカセ阿部と命名。ホントにあのまんまのハカセがいるみたいなんですよ。担当者になったばかりのころ、このヒトの後ろには絶対操り手がいるに違いないと、ミヤベじっと観察したものでした。ところで、今回のハカセ阿部氏のように、必ず荷物持ちをすることになるこの応援参加者のことを、「苦力部隊」と呼ぶことにいたします（メンバー常に募集中）。

皆さまご存じのとおり、小田原もまた大都会。その駅前に、運動靴にリュックというおなじみの出で立ちの我々に加え、ハカセ阿部氏はなんと水筒まで持参の完全装備。毎度のことながら浮いてるなぁ……と思いつつ、駅から徒歩十分の小田原城を目指して進軍開始（しかし、ハカセ阿部氏のこの水筒は、あとで我らの救いの神になります）。幸い、雨も降らず陽も照りつけずの曇天に、足取り軽く、街中でもすぐに目に付く天守閣へと歩みを進め、石段をあがって大きな門をくぐると、なぜか目の前に──

一頭の象さんが。

「ゾウ？」

絶句するミヤベ。まあなんてことはない、小田原城址公園のなかに動物園が付設されていて、出入口に近いところに象の檻があるというだけの話なんですけれども、予備知識なしにいきなり目撃すると、天守閣と象、けっこうキますよ、これは。規模としてはさほど大きな動物園ではありませんが、ほかにもフラミンゴだのお猿サンだの様々な檻があって、平日の割には人出も多く、皆さん楽しそうに散策していました。

小田原城の歴史は、そもそも西相模に勢力を持った大森氏が居城と定めたのがその始まりですが、歴史に名を残す巨城・名城への道を歩み始めたのは、やはり明応四年（一四九五年）、後の北条早雲こと伊勢新九郎長氏が大森氏を追って入城してからのことであります。北条早雲は、その生まれや前身に謎の多い人物ですが、武将として優れ、民政に篤く、大変な傑物。実はミヤベ、このヒト好きなんであります。現在の天守閣は、小田原市が昭和三十五年に復元したコンクリート造りのものですが、訪ねることができて嬉しゅうございました。

今は図面や絵図の形でしか見ることのできない、中世ヨーロッパの城郭都市を思わせる小田原城の「総構」、あれが今日残されていたら、どれほどの史料的・観光的価値があったことだろう――それにしてもお城の階段でどこもここも急だよね――などと言いつつ最上階四階の展望台でしばしの涼をとる我々。絶景でありました。ところで、海の幸山の幸に恵まれた小田原のような土地で、蒲鉾や干物やいろいろ（これはお菓子とい

うより薬であったようですが）のような保存食が発達したのは、小田原北条氏の得意の
戦術が籠城戦であったことと深い関わりがあるという説を耳にしたことがあるのです
が、これは本当なのでしょうか。展示室に飾られている、天正十八年（一五九〇年）四
月からの秀吉の小田原攻めの際の陣配りの再現図を見、ヒステリックと言っていいほど
のその囲み方に、「むむむ」と感じ入るミヤベなのでありましたが。

小田原城天守閣を降りて、さあいよいよ、一寸延ばしに延ばしている感のないでもな
いお徒歩路に出発なんですけれども……。

「ホントにここから歩くの？」

泣きを入れるミヤベ。小田原からというのはあまりに無茶じゃないですかと、他社の
編集者にも言われたんだから。

すでにして心得ておられるニコライ江木氏。腕時計をにらみつつ、

「時間的にも、ちょっと無理ですかね。じゃ、湯本までは箱根登山鉄道に乗りましょう
か」

というわけで、お徒歩隊もしばし電車の人。ミヤベは箱根を訪れるのは生まれて初め
てだったので、何に乗っても嬉しい遠足の小学生のようでありました。

2　湯本から畑宿(はたじゅく)へ

さて、箱根湯本のお蕎麦(そば)屋(や)さん「はつ花(はな)」で遅めのお昼を食しつつ、午後のコースを検討にかかった我々ですが、今回、参考資料としたもののなかに、面白い書籍がありました。

青蛙房(せいあぼう)から出版されている、岸井良衞(よしえ)氏編の『新修五街道細見(しんしゅうごかいどうさいけん)』がそれ。題名どおり、江戸の五街道をスタートからゴールまで、ひとつひとつ宿場や立場(たてば)を押さえながら、その地の名物や土産物(みやげもの)、本陣や脇本陣の主人の名前まで詳細に記したガイドブックで、寝転がって見ているだけでも興味深い本なのです。

この本によると、お徒歩隊午後の最初の目標ポイント「畑宿」は、「小田原」から「入う田(いりだ)」「山ざき」「三枚ばし」「湯元(ゆもと)」ときて二子山を横目に見つつ「川ばた」の次の六つ目の宿場。畑宿の次はもう箱根ですが、ただしこのふたつの宿場のあいだには、「さいかち坂」「カシの木坂」「猿(さる)すべり坂」「てうし口坂」「白水坂」と、坂道の名前ばかりが列記してあります。

「この坂道の名称は、今もそのまま残ってるんでしょうかね」

「それはどうかな……」と首をひねるニコライ江木氏。「でもこの先に、『女転(おんな)ばし坂』

というのがありますね。これも古くからある名称のようですけど」

あな恐ろしげな坂道の名前にビビるミヤベに、横合いからニコライ江木氏の虎の巻ガイドブックをのぞいていたハカセ阿部氏が曰く、

「でも、『女転ばし坂』は、現在は通行不可能って書いてありますよ」

ああ、よかった。

お店を出ると、それまで曇っていた空から待ってましたとばかりに太陽が顔を出し、出発する我々に照りつけます。東京を出る時は大雨だったので、今度ばかりは不要であろうと思っていた帽子を、急遽買い求めることになったミヤベとニコライ江木氏。用意のいいハカセ阿部氏とマック田村氏に冷やかされつつ、町の小さな洋品屋さんに立ち寄りました。ニコライ江木氏は本当に、本当に帽子が似合わないので、かぶってはいけないと、細君にきつく禁じられている身の上なんですけれどもね。

さて、地図を頼りに、旧東海道石畳入口目指して歩き始めたお徒歩隊一行。湯本もにぎやかな町ですし、観光客はみんなリゾートスタイル。リュック背負ってアスファルトを踏みしめる我らは妙に注目の的。しばらくして、

「この辺に、旧箱根街道一里塚（ちりづか）の碑があるはずなんですけど……」

汗をふきつつあたりを見回すニコライ江木氏。通りがかりの人々にも聞いてみたのですが、このあたりにそんなのあるかなあ、とつれないご返事ばかりです。でも、代わり

に面白いものが。

「おや、②アベック地蔵さまだって」

めざとく発見、カメラを向けるマック田村氏。

湯本の町外れ、道の左手に、車で通れば見過ごしてしまうような小さな地蔵塚があり、そこに祀られているのが、仲良く手を取り合い頬寄せている由来書によると、珍しい男女一対のお地蔵さまなのでした。傍らの立て札に書かれている由来書によると、町に入り込んでこようとする「魔」を退けるため、ここに仲のよい一対のお地蔵さまのお姿を現したのだそうであります。仲良きことは美しき哉。ミヤベも拝んできましたが、縁結びのお地蔵さまではないのでした、念のため。

さらに進むと、暑いよ暑いよと唸りつつ歩く一行の右手遠く、日差しを照り返す緑の山の中腹に、刷毛ではいたような白く華奢な滝が見えてきました。

「初花の滝ですね」と、ニコライ江木氏。『箱根霊験躄仇討』という芝居にもなった有名な逸話のある名所です。さっきの蕎麦屋の名前もこれにちなんでるんでしょう」

この滝にまつわる初花という女性の仇討物語は、史実と芝居とでは大きく食い違っており、有名なのはお芝居の方の筋書き。殺人があり亡霊も出るというおどろおどろしいお話です。芝居のヒロイン初花は、箱根権現を信仰し、仇討を祈念してこの滝で水ごりをした由。しかし、見あげるような山のなかですから、大変だったことでしょう。おな

ごは昔から強かったのだ。

「我々は、羽根でもないとあそこには行かれませんね」とは、ハカセ阿部氏のコメントであります。

初花の滝を通り過ぎると、おお、あった！

「国指定史跡　旧東海道石畳入口」

なかなか立派な標識と、この先の道筋を記した地図が立てられています。鬱蒼と茂った木立と草むらのなかに、とりあえず見通せる範囲内は平坦な（コレがクセ物）石畳の道が、カンカン照りに参りかけていたお徒歩隊を誘うように涼しげに薄暗く、延々とのびています。ここでハカセ阿部氏お手柄の水筒の麦茶でひと息つき、さあ、旧東海道を歩くぞ！

緑の力というのは偉大なもの。アスファルトを踏んでいたときとは、汗のかきかたが違います。ちらほらと鳥の声なども聞こえて、気分は上々。ところどころに看板が立てられており、そこには、この石畳の造りが二重構造のようになっていて、ように工夫されていることや、修復や整備を繰り返してきた歴史などが書かれています。

「江戸時代からこういう道があったというのは、凄いことだよね」

ただ──

「これは、我々が普通思う、いわゆる石畳というものではないですよね」と、ニコライ

江木氏。

ミヤベもそれにはまったく同感。石畳というと、たとえばお寺の境内みたいに、石がひとつひとつ平らに並べられていて、歩きやすいようにしてある——というイメージですが、ここのはそういうものではないのです。石がデコボコしている。ときどきとんがっている。まったく平らではない。あっち向いたりこっち向いたりしている。

「昔の、人は、ここを、わらじで、歩いたんですよ、ね？」

とぎれとぎれにしゃべるミヤベ。バテてるわけではないのです。梅雨明け前の湿りがちの天気に、石にびっしりと苔が生えていて、つるつる。気を抜くとすべって転んでべロ噛んでしまうのだ。しかも、この時点では道は下り坂。

「一応、もう観光シーズンなんだろうし、湯本には大勢人がいたけど、ここを歩こうという人は見かけませんね」

「我々だけです」と、ニコライ江木氏がきっぱり。

カメラを持つマック田村氏と軟弱ミヤベが遅れがち。いちばんケロリとしてさっさと歩いてゆくのはハカセ阿部氏。さすが、最年少選手であります。

「おや、小川ですよ。丸木橋があります」

先頭を行くそのハカセ阿部氏が立ち止まり、手でひさしをつくって見おろしています。

追いついてミヤベが目にしたものは、音をたてて流れる早瀬の上を、岩場と岩場のあい

箱根旧街道の前半は、この通り。石畳はツルツル滑る。だがしかし、こんな苦難はまだまだ序の口、子どもだましの屁の河童だった。先に待ち構えていたのは、「お徒歩」史上最悪といわれる地獄……。

だをつなぐようにして、縄で縛った丸太の足場が、三つ四つ転がっているという光景で
した。

「これ、橋？」

「橋です」

「渡れるの？」

「渡れることになってます」

「でも、ホラ立て札が」

橋へと降りて行く道の右手に、「この丸木橋は危険ですので、川が増水しているとき
には絶対に渡らないでください」という注意書きが立てられているのです。

「橋が水に浸かってたら渡っちゃダメだって」

「浸かってないですよ」

いえ、一部は立派に浸かってるように、ミヤベには見える。丸太が傾いて濡れている。
とっとと先を行くハカセ阿部氏とニコライ江木氏。おずおずと渡るミヤベ。これがま
たよく滑るもんだからコワバリながら進んでゆくと、ニコライ江木氏が振り返って言い
ました。

「この上に発電所があるんです。川の上流には、ひょっとしたらダムがあるんじゃない
ですかね。増水することがあるのも、そのせいかも」

ドキリ。それはなんというか凄く怖いことではないのかしらん。今こうしてノロノロと渡っているときに、突然どこからともなく聞こえてくるサイレンの音。そして一分としないうちに始まるダムの放水。哀れミヤベは押し流されて川の藻屑——みずぎわなんてことを考えて取り乱しているところに、身軽に水際まで降りていたマック田村氏がカメラを向けて、

「はいはい、笑ってねー」

ヤベの引きつり顔の理由をご推察ください。

もしもこの丸木橋の場面がグラビアなどに使われていたとしたら、読者の皆さま、ミ

それでも丸木橋を無事に渡り終えると、そこから先は、一五〇メートルほど登り坂になっていました。道端の「畑宿」という標識の矢印も上を向いています。まだサイレンと放水の怖いミヤベは、「高いとこ、高いとこ」と、この坂は一所懸命登りました。

登り切ったところが、はい、畑宿に到着です。今は「畑宿」と呼んでいますが、当時は、正確にはここは宿場ではなく、もっと軽い休憩所である立場で、ですから『五街道細見』にも、単に「畑」と書いてあります。休み処として「めうがや畑右衛門」とありますが、ここでお茶やお酒を出したのでしょうか。③

観光客の自家用車やタクシーが走り抜けてゆく舗装道路の両側に、お土産物屋や寄せ木細工の店が立ち並んでいます。そのうちの一軒に立ち寄り、親切なお店の人に、ここ

から箱根まで歩くとどのくらいかかるでしょう、とニコライ江木氏が尋ねると——

「ここから？　箱根まで？　今から？」

お店のおかみさんは目を見張りました。

「国道を歩くんですか。それとも旧道を？」

「できるだけ旧道を行きたいんですが」

「そりゃ無理ですよ。夜になっちゃうよ」

「でも、歩くために来たもんでして」

「それなら、一時間か二時間、旧道を歩いて、またここへ引き返してきたらどうですか。それで、タクシーを呼んで箱根まで登れば。全部を歩くのは、無茶ですよ」

しかし、もともと常識はずれのことをするのがお徒歩隊なのだ。

「せめて、甘酒茶屋までは歩いて行きたいんです」

「それだって、かなりあるからね……。まあ、旧道はやめて、国道を歩いたら何とかなるかもしれないけど」

そういえば、すでに時刻は午後四時を回っていました。

一同、頭を寄せて検討の結果、とにかく「歩く！」という目的は達したいので、ここはお店のおかみさんの助言を入れて、よし、国道を行こうということになりました。だけどこれが、大変だったのよね。

3　お徒歩隊とドリフト族とお玉ヶ池と

　畑宿から甘酒茶屋までの道のりを地図で見ますと、二子山の等高線が「むぎゅー」という感じに混雑しているのがわかります。つまり、それだけ急な登りだということ。いわゆる箱根の七曲りですね。日光のいろは坂ほどではないにしろ、右に曲り左に曲り、うねうねと上へ登ってゆくこの国道は、いわゆるドリフト族たちにとって非常に魅力的な道であるようです。あるかなきかの国道の歩道(こんなところ、歩く人がいるわけないと思ってるんでしょうね、当然)を進み始めるとまもなく、頭の上の方でキュルキュルとタイアがきしむ音が聞こえてきました。

「お、やってますね」とニコライ江木氏。「ミヤベさん、見たことありますか、ドリフト族」

「ううん、これが初めて」

　話しながら歩いてゆくうちに、二十歳そこそこのあんちゃんが運転する車が、急カーブを回って走り降りてきて、そこでまたぎゅっとUターン。登っていったかと思うとまたすぐに「キュルキュルキュルキュル──」、続いて人の歓声が。

「見物人もいるんですね」

国道の坂道はかなり急で、息がはずみます。立ち止まって汗をぬぐいつつ、

「だけど、ああいうこととして事故は起こらないのかな」

「起こりますよ。道にテールランプの破片がいっぱい落ちてるでしょ？」

ホントだ。ややオレンジ色がかってきた日差しを受けて、きらきら光っています。

「あれで面白いのかなあ、同じところを行ったり来たりするだけでしょ」

「まあ、ねえ。若者だから」

「しかし、彼らから見たら、とぼとぼ歩いてる我々の方が、よっぽどヘンに見えるんじゃないですかね」

然り。ひと言もございません。

「それにしても、ここを歩くのは危ないね。これだけの傾斜を、さっきから、登ってくる車も下りの車も、相当飛ばしているから。なんかほかに道は——」

マック田村氏が言って、一同が頭をあげたとき、目に飛び込んできたのは、国道の歩道から山のなかへとのびている灰色の階段でありました。

「そうか、あれを登ると、坂道をずっとたどってゆくより、ずっと短時間で上に登ることができるんですよ。ショートカットできます」

そうか、それはよかったと、勇んで階段にとりつくお徒歩隊。山の木立の緑のトンネ

ルのなかにのびる、しっかりとしたコンクリートでつくられた階段です。手すりもつい

ていて、登り始めると、国道を走る車の音がどんどん遠ざかってゆきます。

「これはラッキーだったね」

なあんて喜んでしまうミヤベでしたが、しかし皆さま。この階段、行けども行けども

先があるのです。延々、登っていかねばならないのです。おまけに傾斜は急で、ステッ

プのひとつひとつも高いのです。

「いやあ……」

「けっこう、キツいですね」

「四国の金比羅さんか、山形の立石寺かという感じ」

「何段登ることになるのか、数えてればよかったな」

「ちょっと、休憩したい」

④手すりにしがみついてヘタばるミヤベ。またしてもハカセ阿部氏の水筒の麦茶に救

われます。

「わたし、高校時代に、千葉の鋸山に遊びに行ったときのこと、思い出しました」

「ご存じの方もおられるでしょうが、鋸山も階段また階段ですよね。

「だけどね、ふうふういいながらあの階段を登って頂上に着いたら、そこにハイヒール

にスーツ姿の女の人がいたの」

「どこにでもハイヒールで行っちゃう女性っているからねえ」

「もしかしたら、ハイヒール登山というジャンルがあるのかも」

「無酸素登頂より凄い」

ぜいぜい喘ぎながら、とにかく階段を上がりきりますと、ここで道が二手に分かれていました。左は旧街道。正面はふたたび階段。ただ、この階段はてっぺんが見えていて、どうやら国道に出ることができるようです。

「どうしよう……」

「階段よりは、旧街道の方が楽ですよね」

「でも、時間がね」腕時計を気にするニコライ江木氏。

「暗くなると、確かにまずいから」

しょうがない、もうひと頑張り階段を――と登り切ったとき、目の前に開けた国道を、奇跡のようなタイミングでタクシーが走ってきました。前後を忘れて手を振る一同。運転手さんの顔が仏様に見えたミヤベであります。

という次第で、甘酒茶屋まで歩き通すことはできなかったのですけれども、タクシーで連れていってもらうと、もうすぐそこだったのだということはわかりました（苦しい弁解）。昔も今も、箱根のきつい山道をたどる人々に憩いを与えてきた甘酒茶屋では、スニーカーを履いた外国からの観光客がちらほらと休んでいました。

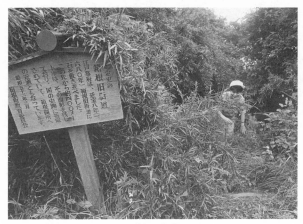

これが、"地獄"でありました。箱根旧街道にて。

そこからさらに車で登り、お玉ヶ池に到着。夕暮れになり、変わりやすい山の天気に空は曇り、しかも霧が出てきて、なんとも神秘的な雰囲気。そこにぴたりとはまる、静かで寂しい山間の池なのですが、ここは箱根の関所と深い関わりがあるのです。その昔、お玉とお杉というふたりの旅芸人が、親方のきつい仕打ちに耐えかね、江戸から京都へ逃げる途中で、箱根の関所にさしかかり、手形がないために脇道を通って関所破りをしようと試みました。が、それも果たせず、捕らえられそうになったお玉が身を投げて死んだのが、この池。そこで、お玉ヶ池の名がついたというのです。　毒婦みゆきの関所破りの旅に、もっともふさわしい場所ではありませんか。

「なんだか、映画『犬神家の一族』に出てきそうなシーンだよね。その水面に佐清⑤の足が飛び出しててもおかしくない」

池のほとりにたたずみ、霧に隠れた対岸を透かし見つつ、妙なことを言ってしまうミヤベでありました。ミステリー作家ってしょうがないものだ（全国のミステリー作家から、しょうがないのはミステリー作家じゃなくておめえ個人だというお叱りの声、多数。スミマセン）。

さてこのあと、旧街道の見事な松並木を歩いて心を洗われ、本日は関所まで行くのは諦めて、おとなしく宿へと向かったお徒歩隊。ハカセ阿部氏の水筒も空になり、汗だくの身体を、箱根の温泉が待っていてくれました。

4　一夜明けて

この日は朝から雨。それでも、関所跡も併設されている資料館も、けっこうな人出でにぎわっておりました。

芦ノ湖を左手に見て、左に関所跡の記念碑が、右手には当時の建物を復元したものが建てられていて、人形や資料が展示されています。のんびりと見学する我々には、当時ここを通過しようとした人々が味わった緊張感は想像することもできません。それどころか、

「でもね、これだけ広い地域で、しかも山のなかでしょ。関所破りって、案外簡単にできたんじゃないかと思うのよね」と言うミヤベ。

しかし、資料館に入ってみると、その安易な想像は裏切られました。箱根山中には、この関所の外にも数ヵ所の脇関所があり、ポイントポイントに役人が配置されていて、しっかり見張っていたというのです。そのなかには、芦ノ湖を渡ろうとする者を捕らえるための監視台もあったというから徹底している。

明け六ツ（午前六時）から暮れ六ツ（午後六時）までの十二時間しか開くことのない関

所の門。お役人の前に据えられている通称「お手つきの石」に手をつき頭を下げて手形を差し出す通行人たちは、面倒くさいなあと思うお伊勢参りの陽気な人々から、密命を帯びて国へ帰る侍から、お玉のような逃亡者まで様々だったはず。あらためて受けて通過の順番を待つ人々がたむろしていた門の前の広場「千人溜まり」には、時代小説の材料がゴロゴロしていたろうなあ……などと、殊勝なことも思います。「入り鉄砲に出女」で、女性に対する調べは特に厳重だったというのは有名ですが、髪をほどき化粧を落として調べるための、「髪洗いの井戸」まであったというのには驚きました。徳川幕府の安泰を支えていたのは、この、一種女性的なまでの深い猜疑心であったのでした。

資料館まで見学し、ミヤベは、きわめて基本的な誤解をひとつ解くことができました。当時の一般的な通行手形は、今わたしたちが想像するような、またお土産物屋で売られているような、木製の大きな駒みたいなものではなく、一枚の紙の証文であったという
ことです。ここに捺印された印鑑（手形を発行した人、つまり大名や名主や家主の印鑑）が、にじんでいたり、関所に届け出されているものと違っていたりして咎められる――ということも多く、またこの証文をなくしてしまったが故に大騒ぎという事態もま発生。まったく、不便な時代だったのですね。

しかし、資料館の掲示によると、江戸時代を通して、実際に「関所破り」の罪で死罪となった人々は、なんと六人しかいないのだそうです。漠然と、年に十人単位で罪を受

けていたんじゃないかと思っていたので、これは大いに意外でした。当時の御役人も怖いばかりじゃなかったわけで、関所破りをしようとして捕らえられた人を、「うっかり道に迷ったのだ」として、屹度叱りだけで許してやるというケースが多かったのだそうです。

六代将軍家宣のときに出された「箱根関所御掟」には、こんなことが書かれています。

一、関所を出入る輩、笠、頭巾をとらせて通すべき事。

一、乗物にて出入る輩、戸をひらかせて通すべき事。

一、関より外に出る女は、つぶさに証文（手形ですね）に引き合わせ通すべき事。
付——乗物にて出る女は、番所の女（いわゆるあらため婆です）を指出し相改むべき事。

一、手負死人並不審成もの、証文なくして通すべからざる事。

一、堂上の人々、諸大名の往来かねてより其聞えあるにおいては沙汰に及ばず、もし不審あるにおいては誰人によらず改むべき事。

公家でも大名でも容赦はしないという掟、厳しいものです。この掟は現在「見返りの

松」として知られる松の木の下に、高札にして立てられていたそうです。

お金さえ払えば、電車でも飛行機でも車でも自由に乗れて、どこへでも行くことができる現代のわたしたちの目に、江戸幕府統治時代の我が国の関所という仕組みは、前近代的な圧政の見本のように映ります。けれども、小雨に煙る湖畔を背景に立つ関所跡の碑を見つめていて、ふと、つい最近、この関所のような厳重な警戒状態のなかに身を置いたことがあると思い当たりました。そう、地下鉄サリン事件をきっかけとした、一連の事件による⑥東京非常厳戒体制の時ですね。

江戸時代は警察国家だった。咲き誇った文化や平和な暮らしと同時に、「関所」というものがなくてはならない時代だった。そこから長い長い道のりをたどり、多くの犠牲を払いながら、この国はやっとここまでやって来たのに、あのときの東京は、警察国家に先祖返りしてしまってた。やむを得ない事態ではあったのだけれど——

歴史は元へは戻らないけれど、人間は戻ることができてしまうんですね。そのことを考えると、温泉の気持ちのいい朝風呂の名残も、ふっと冷めるような気がしたものでした。

過去三回のお徒歩日記のうち、今回はいちばん楽しいものでありました。やっぱり温泉はいいね、などとフラチなことを書いたりしまして……。

今回のこのページを読み、箱根の旧東海道を歩いてみようと思われましたなら、ぜひ、足ごしらえはしっかりとしてお出かけください。若い人なら気合いでなんとかなりますが、石畳は革靴で楽に歩けるところではありません。年輩の方なら、松並木の残されている部分だけ散歩するのが一番楽しく、きれいで風情もあると思います（でも、わたしたちの歩いた旧街道の一部は、地元の子供たちの通学路になってるそうなんですよ、偉い！）。

また、箱根から三島へと続く旧街道は、あることはあるし標識も立っていますが、さらに難儀で危険な道です。ハイキング気分の行程には組み入れない方が無難でしょう。

「怖いよー」

と泣きつつ歩いてみたお徒歩隊が申し上げるのですから、間違いありません。

それでは、次回はいつどこへ行くのやら。編集長のお許しがあれば、またお目にかかれますでしょう。再見！

※　参考文献

『新修五街道細見』岸井良衞編（青蛙房）

『今昔東海道独案内』今井金吾（日本交通公社出版事業局）

『江戸時代の箱根と関所』（箱根関所資料館）

『箱根関所物語』加藤利之（神奈川新聞社）

① **保存食と籠城戦**【ほぞんしょく・と・ろうじょうせん】小田原市のしかるべき筋にお尋ねしても、両者の関連性は浮かび上がって来ないのですが、某テレビ局のツアー＆グルメ番組に近しい関係を指摘するナレーションがございました。事実と異なる俗説なのでありましょうか？

② **アペック地蔵さま**【あべっく・じぞう・さま】

③ **引きつり顔**【ひきつりがお】この時のお写真は小説新潮のグラビアには登場しなかった。別段、ミヤベさんのお顔が見るも哀れだったわけではありませんよ、念のため。

④ **手すり**【てすり】この時、マック田村はしっかりとシャッターを切っていた。ああ何とも無慈悲で情け容赦のないお徒歩隊！本邦初公開のお写真、決してヤラセではありませんよ、念のため。

⑤ **佐清の足**【すけきよ・の・あし】ニコライ江木氏によると、ミヤベは水辺や湖沼に行くと、どこでも必ず、「佐清の足が出てきそうだ」と言うそうです。だって映画『犬神家の一族』のあのシーン、印象が凄く強烈だったでしょう？目の裏に焼きついているんですよ。

ニコライ江木氏はさらに、全国のやや怪しい風情のある湖沼に佐清の足のオブジェを立て、毎日正午になると音楽と共にその足を上下させてはどうか、といったアイディアを述べており、やはりそのスポンサーには角川書店さんが付くべきだなどとも提案していますが、ミヤベはそんなことを言いだす勇気は持たず、角川書店さんのミヤベ担当者も聞く耳たたないでしょうから、ほっといてください。

写真提供・角川書店

原作＝横溝正史
市川 崑監督作品

犬神家の一族

⑥**非常厳戒体制**【ひじょう・げんかい・たいせい】地下鉄サリン事件からしばらくの間（都知事宛の小包爆弾事件や地下鉄新宿駅異臭騒ぎなども続いて）、地下鉄の駅構内からごみ箱が撤去され、地上の駅のプラットホームのごみ箱とコインロッカーが封鎖、電車内の網棚に新聞や雑誌を置き捨てにできなくなった。

其ノ四 桜田門は遠かった

平成七年十二月十五日

太田道灌追慕の碑

御茶ノ水駅

神田駅

水道橋駅

酒井雅楽頭屋敷跡

橋御門跡
雑子橋御門跡
毎日新聞社

丸紅

気象庁

合同庁舎

パレスホテル

大手門

北の丸公園

田安門

清水門

科学技術館

吉田茂像

武道館

平川門

竹橋

丸跡

丸跡

本丸跡

富士見櫓

丸跡

東京駅

天守閣跡

千鳥ヶ淵

坂下門

西丸
新宮殿

馬場先門

東京會舘

吹上

皇居前広場

楠公像

イギリス大使館

半蔵門

二重橋

桜田門(外桜田門)

日比谷公園

北

警視庁

旧社会党本部

憲政記念館

国会
議事堂

井伊掃部頭
上屋敷跡

0 ───── 500m

冬来たりなば、ミヤベのお徒歩遠からじ。

皆様、明けましておめでとうございます。第四回目を迎えましたお徒歩日記であります。

以前にもご説明しましたが、この企画、小説新潮が年二回時代小説特集を組むとき、イロモノ（ははは！）として掲載されるわけでして、昨年の夏は、かねて皆様ご承知のとおり箱根八里の山越えに挑戦、一同ボロボロになって帰京いたしました。そうなると今冬は、やっぱり江戸に戻って企画を立てたい――と、ミヤベと担当ニコライ江木氏は考えたのであります。

ところが、「江戸」という街には、案外歩く目的がありません。いえ、たとえばミヤベが捕物帖など書くときの参考として、「神田明神下から青山までどのくらい時間かかるかなあ」などとポコポコ歩く分にはいくらでもできるのですが、それを文章にしてお

目にかけてもいささか退屈なのでは、と思います。何かこう、意味の感じられるルート
はないものか——

　と、頭をひねっている頃、ミヤベは別の用件で出雲と松江を旅することになりました。か
かの地で美味しい和菓子をたくさん食し、宍道湖に遊び松江城を見学して帰京。松江城
の天守閣に、「日本の名城」と題した各地のお城の写真が飾ってあり、数えてみたらミ
ヤベはそのうちの九つのお城を見学してた、思ったよりたくさん見てました——などと
ニコライ江木氏にお話ししたところ、ふと氏が呟きました。

「いえ、僕も城は好きで結構見てる方なんですけどね。でも、今ひょいと思ったんだけ
ど、『日本の名城』を数えあげるとき、そのなかに『江戸城』は入ってるんですかね？」

「そうか、あの場所を『江戸城だ』って意識したことないでしょ。皇居だと思ってるか
ら」

「史跡としての江戸城って、案外盲点になってるかもしれないですよ」

　そうだね——と、ふたりともニヤリ。

　というわけで今回のお徒歩日記、「史跡・江戸城」一周コースと相成りました。決行
日は平成七年十二月十五日。うららかに晴れた青空の美しい日でありました。

1　豪華メンバーで出発

　さて当日、我々お徒歩隊一同は、丸の内の東京會舘ロビーに集合いたしました。交差点を渡った目と鼻の先にある馬場先門をスタート地点として、反時計回りに、外堀と内堀のあいだを行ったり来たりしつつぐるりと一周するルートをとることにしたのです。

　今回は、お徒歩隊のメンバーに若干の変更がありました。過去三回、最年長の牙城を守りつついちばん元気に歩き通してくれたカメラマンのマック田村氏が、スケジュールの都合で欠席。代わりに、バリバリの若手カメラマン土居氏が参加してくれたのであります。四国出身のしっかり者、さぬきうどん土居氏、なんてったって二十五歳！　ミヤベとニコライ江木氏より十歳若いのであります。

「ヤダなー。土居さん、あたしが就職したころ、まだ小学校の校庭で半ズボンはいてドッジボールしてたんだ……」と、取り乱すミヤベ。マック田村氏には「三脚持ちましょうか」とか気をつかっていたニコライ江木氏も、「土居君若いもんね、荷物持てるよね」と、妙に冷酷。若者にシットするあたり、ミヤベもニコライ江木氏も立派に中年の一年生なのであります。しかし、それらの雑音などどこ吹く風のさぬきうどん土居氏、なか

なか頼もしい。

さらに、今回は増援ユニットが豪華でありました。第一回目の忠臣蔵コースにも参加してくれた出版部の庖丁人中村氏に加え、なんと、畏れ多くも校條編集長が御自らお出かけくだすったのであります！

「編集長、ホントにいいんですか？　結構歩きますよ」

編集長、胸を叩いて曰く、「大丈夫、私は毎朝駅まで二十分歩いてるんですから」

ミヤベ、ニコライ江木氏に小声で尋ねました。「この暮れの忙しいときに、編集長が席を空けちゃってかまわないのかな？」

ニコライ江木氏、鼻で笑って曰く、「まったく問題ないです。かえって、みんな喜んでるでしょう」

だそうであります。

予定では、前回箱根に水筒持ってきて大活躍してくれた文庫編集部のハカセ阿部氏も参加してくれるはずだったのですが、残念ながら当日、流感でダウン。

「あいつ本当に風邪かな。『ドラクエⅥ』①やってんじゃないですかね」とニコライ江木氏。疑り深くなるのも中年の証拠なんだからね──と冷やかしつつ、自分もテレビゲームやって対談に遅刻したことのあるミヤベは内心ヒヤリ。

という次第で総勢五人、馬場先門②へと向かいました。

横断歩道を渡りながら、ミヤベ

は申しました。

「実はわたし、皇居へ来るの初めてなの」

「エーッ！」と御一同。

「まあ、東京のヒトだから、修学旅行で来るってこともないでしょうけど」

「でも、デートコースですよ」

「ついでに言うと、千鳥ヶ淵でボートに乗ったこともないの」

「――ミヤベさん、寂しい青春時代を送ったんですね」と言ったのが誰なのかは、伏せておきます。　覚えのある方は、あとでカクゴしておくように（下町の人間は、デートでボートに乗るときは上野不忍池に行くんだよ！）。

と、わやわや言いながら、馬場先濠を渡り、皇居外苑に到着。左手後方に警視庁の建物が見える――あれが桜田門。本日最後に通過するポイントです。こうして見るとすぐ近くだけど、ゴールとしては遠いのだ。

緑の芝生のなかに、カメラをさげた人びとの姿があちこちに。駐車場には黄色いはとバスが二台停まっています。外人さんも目立ちます。師走の平日とはいえ、さすがは観光ポイント。そのまま二重橋方向へまっすぐに進んで行くと、左手に有名な楠公像が見えてきました。ここでも観光客が記念写真を撮っています。

「楠正成はどうしてあんなにも後醍醐天皇に忠実であったんだろう」

「当時の人びとの目には、足利尊氏はやっぱり裏切り者に見えたのかな」

などなどと話し合いつつ内堀通りを渡ると、そこはいわゆる皇居前広場です。テレビでいちばん頻繁に映される場所ですね。砂利を踏んで進んでゆくと、二重橋で、ちょうど皇宮警察の衛兵交代を見ることができました。

「人数はちょっと少ないけど、テレビで見たバッキンガム宮殿の衛兵交代みたい」とミヤベ。もっとも、バッキンガム宮殿のそれのように観光客用のイベントと化しているわけではなく、粛々とした光景です。

さて二重橋。恥ずかしながら、土台の丸太の橋とその上に重なる橋の高さが違うので、横から見ると橋が上下にふたつ重なって見えるところからこの名がついたのだという由来を、ミヤベはこの日初めて知りました。二重橋と言えば「東京だよおっ母さん」というくらいの知識しかなく……。そういえば、ちょっと必要があって昭和史や第二次大戦関連の本を読んでいた時期に、タクシーに乗ったら、偶然ラジオからこの歌が聴こえてきたことがあります。以前は聞き流していたあの歌詞が急に胸に迫ってきて、思わず涙ぐんでしまった――という経験を持つミヤベはやっぱり中年になってきたのでしょうか（今回はイヤにこだわりますが、なんせ若者が参加してるもんで）。

この日は上天気、しかも風も穏やかな小春日和とあって、お徒歩隊一同完全な遠足気分であります。写真を撮ったりお堀の緑色の水をのぞき込んだりしてから、右手の坂下

門へと向かいました。ではこの辺で、実際の一周ルートに入る前に、江戸城の歴史をざっとおさらいしておくことにしましょう。

2　江戸城と火災

「江戸城を建てたのは誰？」

「徳川家康です」

「ブー、残念でした。正解は太田道灌です」

というような、雑学とも言えないクイズが昔はあったものですが、では道灌はまったく何もないところにいきなりお城を建てたのかというと、そんなことはありません。道灌は室町時代の人ですが、それよりもずっと以前、平安時代の末期に、坂東平氏の流れを汲む江戸重継という人が、ここに居館を築いたのがそもそもの始まりです。江戸氏は鎌倉幕府でも重く用いられ、なかなか繁栄した一族なのですが、室町時代のころになって一族が分裂、そのため、江戸の居館も一度は使われなくなってしまいます。太田道灌は、その跡地に目をつけたのでした。なぜかと言えば、江戸氏がここに居館を設けたのと、理由は同じ。この地は昔、江戸湾に面した台地の一角で、攻めるに難く守るに易い

　天然の要害の条件を満たしていたのです。

　この点は、現代人にはちょっと想像しにくいことですね。ミヤベもぶらぶら歩きつつ、右手に林立する都心のビル群を眺め、「昔はこの辺は海だったんですよねえ」と呟いても、今ひとつピンとこなかったのでした。ただ、水辺の台地に立つお城がグッドであるということとは、うん、実感できます。最近、歴史シミュレーションゲームに凝っているおかげです（やたら城攻めが多いんですよ、コレが）。

　では、太田道灌は何故に江戸にやってきて城を築いたかといえば、それは彼が当時の関東管領扇谷上杉氏の家宰（家老みたいなものですね。もうちょっと武張っているけど）だったからです。歴史好きの方にとっては常識以前のこの知識ですが、一般の、それこそ「江戸城は誰が造った」的雑学にも、日本史のテストにも、まず出てきません。この辺が問題なんだと思うのですが、まあそれはさておき、道灌の造ったこの「第一期江戸城」は素晴らしい名城であったと伝えられていますのに、残念ながら、その詳細を直接的に記した資料は残されていません。わずかに、他の記録から概要を推し量ることができるだけです。

　しかし、時は戦国。その後、道灌は上杉定正に殺され、お城も上杉氏のものになりますが、そこへ小田原北条氏が攻めてきて、今度は北条氏がここを支配のひとつにしました。そのまま戦国時代中期へとなだれこみ、有名な秀吉の小田原征伐で北条氏が敗北、

その旧領地が徳川家康に下げ渡されたとき、江戸城も彼のものになりました。ここでやっと、家康が登場するわけです。彼が秀吉に「三河から関東へ移れ」と命じられたときのいきさつは、戦国時代小説の読みどころのひとつですが、ここで事を荒立てず素直に東に下ってきた家康の選択は正しく、徳川家はこの地で三百年近く政権を維持することになるのですね。

家康が移された当時の江戸城は、道灌の名城の面影もなく、石垣は崩れ畳は腐り周りは草ぼうぼう、荒れ果てて貧弱な代物であったそうです。が、そこでクサッてしまわなかったのが偉い。彼に従ってきた三河武士たちも、さぞかしがっかりしたことでしょう。

すぐに城下町の整備にとりかかり、移封の二年後の文禄元年（一五九二年）には西ノ丸建築を始めました。その後、関ヶ原の合戦や豊臣家との最後の決戦などで築城が中断した時期はあったものの、江戸開府を機に再び拍車がかかり、大車輪で造りあげられるのが、現在わたしたちが「江戸城」として認識しているお城の大本なのです。

家康亡き後も、息子の秀忠、孫の家光が城の拡大を引き継ぎ、総郭が完成したのは寛永十三年（一六三六年）。この完全版のお城は、現在の千代田区のほぼ全域をそのなかに含んでしまうほどのスケールを持っていました。堀割は本丸を中心に三重に掘り巡らされ、外郭には三十六個の城門があったと言われます。豪奢な本丸・西ノ丸のほかに、天守台やたくさんの櫓も建てられていました。

ところがこの立派な「第二期江戸城」、実にしばしば火災に遭うのです。まずは俗に振袖火事とも呼ばれる明暦の大火。明暦三年（一六五七年）正月の十八日に本郷五丁目から出火、折から強い西風の吹きまくる頃で、しかも真冬の乾燥期。十九日になっても消し止めることができずにおろおろしているところに、今度は小石川伝通院前の新鷹匠町から出火。火の手は容赦なく広がり、江戸城中にも飛び火し、なんと本丸も天守閣も焼けてしまうのですね。二ノ丸も全焼。西ノ丸だけは、風向きが変わったおかげでかろうじて助かったという有様でした。お城の櫓のなかには火薬が貯蔵されていまして、そこに火がかかったのですから、ひとたまりもありませんね。このときの将軍は四代家綱ですが、この人、ひい祖父さま・祖父さま・父上と三代かけてつくりあげた日本一のお城をひと晩でおじゃんにしてしまったという、まれにみる不運な親不孝ものであります。

むろん、被害は江戸城ばかりではなく、当時の江戸市中の大半が焼亡。とてつもない出費です。心から懲りた幕府は、「耐火」を念頭に江戸の町の再建に取りかかりました。

で、本丸や二ノ丸の再建は仕方ないとしても、「ただ景観だけの建物である」（家綱の叔父・保科正之談）天守閣は、とうとう再建されませんでした。徳川十五代将軍のうち、三分の二は天守閣のない江戸城に住んでいたというのは、ちょっと面白いですね。ただ、このときの焼失を機に城外に出されてしまった吹上の御三家の屋敷跡には、吹上御庭という広大で豪奢な庭園がつくられることになり、それは美しい（桜の森があったとか

で）ものだったそうです。

その後も火災は大小取り混ぜて頻繁に江戸城を襲い、ミヤベも資料を見ていて、不謹慎ながら失笑してしまったのですが、本丸御殿はさらに三回焼失三回再建、文久三年（一八六三年）の四度目の焼失ではとうとう再建されず、二ノ丸は四回焼け五回再建、慶応三年（一八六七年）に五度目の焼失、西ノ丸は五回も焼けて七回も再建したり修理したり、二ノ丸が増築されて分かれた三ノ丸も一回焼失して再建――と、焼失・再建の涙ぐましいようないたちごっこ。

戦国時代の圧倒的勝利者徳川家も、火事にはまったく勝てなかったというわけで、しかも時代が下がるにつれて財政は逼迫（ひっぱく）し、建て直さずに諦めてしまう施設が次第次第に増えてゆくのでした。なお、話がちょっと戻りますが、明暦の大火の折には諸大名の屋敷もぼうぼう焼失、この時焼けてしまったのは桃山調の優雅で美麗な屋敷、再建されたのは質素で実用的な屋敷ということで、火事の前後で江戸の町の雰囲気がずいぶん変わってしまったということです。

しかしこうして見てくると、「江戸城って、よくまあちょっとでも残ってたなあ」と思えてきますね。皆様もどうぞ、火の用心さっしゃいませ。

3　あの橋この橋

江戸城のお堀にかけられていた橋の名前と、城門の見張所（これを見附と呼びます）の名は、現在でも地名や駅名となってちらほら残されています。お徒歩隊の江戸城一周でも、目的のひとつは、これらの門をチェックすることです。

坂下門へ来てみると、ちょうど門扉が開き、警備の人が無線で内部と連絡を取りながら、一台の車を通過させるところでした。NTTデータの車でした。

「そうか、皇居のなかにもいろんな業者が出入りしますよね」

「パソコンが置いてあるのかもね」

ミヤベは昔、東京ガスで準社員として勤めた経験があるのですが、当時の上司が、皇居のなかの設備点検に伺ったとき、やはりとても緊張したという話をしていたのを思い出しました。

地図によると、坂下門の内側、進行ルートの正面には「富士見櫓」があるはずなのですが、堀越しに仰いだだけではどれがそれなのかちょっと判りません。見事な石垣に感心しつつ、白漆喰のお城の壁に塗り直した跡の見えるところとか、「石落とし」（窓の下

に細い枠をつくって空間を空けておき、来襲する敵に向かってそこから石を落とす仕掛け。暖房効果は台無し）がちゃんと残されていることに驚いたりしながら歩いていきます。

「マラソンするなら話は別だけど、この辺って、普段は歩いて通るような場所じゃないんですよね」と、千代田区観光ガイドマップを広げて歩きつつ、庖丁人中村氏が呟きました。

「地下鉄で下を通過するか、タクシーで脇を通り抜けるかどっちかでしょう」

ちょうど右手にパレスホテルが見えてきたところでした。そうよね、パレスホテルでカンヅメになったり、パーティをやったりする作家はあまたあれども、パレスホテルの前をリュックサック背負って通りかかる作家は、まずいませんわね。ここは都心も都心、大都心なのです。

そういえば、三年ほど前、お徒歩日記の先駆けとなった深川散策をした折には、テナントのいないガラ空きの新築ビルや、建築途中で放り出された鉄骨だけの建物、妙に中途はんぱな形の空き地、しもたやの立ち並ぶ隙間に唐突に現れる月極駐車場など、バブル崩壊の傷跡と思えるものを、あちこちで目にしたものでした。「真夏の忠臣蔵」で第一京浜を歩いたときも、壁のように立ちふさがるビルの後ろに、廃墟になった昔の長屋式集合住宅を見つけて驚いたりしました。

しかし皇居周辺には、さすがにそれらの悲しい遺跡は見あたりません。

立ち並ぶビル

も、銀行や商社、大手の製造業社の年代を経た重厚な構えのものばかり。「あれ、三菱商事だ」「あ、日本鋼管だ」「三井物産だ、本社かな」という感じです。バブルの嵐はどこに向かってどう吹きまくったのか、じわりとわかるような気がしてくる眺めであります。

桔梗濠を左手に進行、このあたりは、道路とお堀の水面の高低差が二メートルぐらいしかありません。大手門に着くともう少し道路の方が高くなりますが、それでも、水面に遊んでいる鴨たちが、お徒歩隊を見つけてわらわら寄ってくるぐらいの距離です。鴨たち、人影がさしても逃げず、逆に近づいてくるというのは、餌をもらいつけているのでしょう。

「あ、アヒルだ」とミヤベ。

「あれは白鳥です」と、ニコライ江木氏真面目に訂正。ほかの人たちは聞こえないふり。

大手門は江戸城本丸の正門です。三百諸侯が登城するとき使用したのがこの御門。門内には「百人番所」という古い建物があるそうですが、外側からはちょっと見えません。宮内庁病院もこの内側にあります。大手門の前から東に延びているのが永代通り、この地下を営団地下鉄東西線が走っておりまして、それに乗るとミヤベはまっすぐおうちに帰れるのですが、ガマンして歩かねばなりません。

さらに先に進んで行くと、お堀はゆるやかに左にカーブ、正面に総合商社丸紅の社屋

が見えてきます。ロッキード事件当時の悪い印象がたたってしまい、通俗時代小説にお

ける「越後屋」に匹敵するほどの悪い商人の代名詞にされてしまった観のある丸紅さん

ですが、建物はシンプル。構えもそう大きくはありません。そうかここがあの丸紅か

──と感動。しかし、このあたりはお役所町でもあるのですよね。合同庁舎の三つのビ

ルが見え、気象庁もすぐ目の前。古地図を見てみますと、お堀の形が変わっているので

正確に重ね合わせることはできませんが、ちょうどこのあたりに、一橋殿のお屋敷や、

「下馬将軍」の異名をとった酒井雅楽頭の屋敷があったのでした。

さらにお堀も道も左にカーブ。平川門です。ここは大奥女中の出入口であり、また御

三卿もここを使用しました。御三卿とは、昨年の大河ドラマをご覧の方はご存じのとお

り、八代将軍吉宗が御三家に対抗して興した将軍直系の新御三家です。実は、さきほど

ワイワイ騒いでいた丸紅ビルのあるところに、御三卿のひとりで吉宗の四男一橋宗尹の

屋敷があったのだそうです。古地図では（ミヤベが見ているのは文久元年のものです

が）、ここに一橋御門とあり、平川門の名は載せられておりません。そのかわり、一橋

御門と竹橋御門のあいだにもうひとつ、雉子橋御門というのがあります。うーん、こう

いうのを見てしまうと、江戸城とお堀がそのままそっくり残されていないのが恨めしい

ですね。

ところでこの平川門ですが、江戸城の裏門に当たることから、また不浄門でもありま

した。怪我人や死人、不祥事を起こした大名などを外に運び出すとき使ったのですね。浅野内匠頭や、スキャンダルで流された奥女中の江島も、ここを通ったわけです。この橋は今もゆかしい木の橋のまま。擬宝珠には慶長十九年（一六一四年）から残されているものがあるそうです。

さあ、道のりの約半分、皇居の北側のてっぺんにさしかかりました。竹橋です。お堀に面して毎日新聞社のビルが建っています。毎日新聞社の出版部の仕事が遅れに遅れているミヤベは顔を隠して通ります。この暮の忙しいときに何をやっとんのか！

「幟を立ててくればよかったですね」とニコライ江木氏。「ミヤベさん、ここにいますよぉ」と、ビルに向かって手を振る庖丁人中村氏。ミヤベますます逃げ足が早くなるのだ。ごめんなさい！

と、ここで校條編集長が発言。「この毎日新聞社のビルは、確か前はリーダーズ・ダイジェスト社が建物の一部を持っていたこともあるんですよ」

「え？　リーダーズ・ダイジェストって、アメリカのあの雑誌ですよね」

「そうです、そうです。それを毎日新聞が買ったんじゃなかったかな」

「ほほう……。皇居に顔を向けて堂々と建つこのビル、昔はアメリカ資本も入っていたわけか。なかなか興味深い。

「なんか記念碑がありますね」

それまで無言のカメラマンだったさぬきうどん土居氏が、お堀脇の小さな植込の方を指さして言いました。近づいてみると、「太田道灌追慕の碑」。ちょうどお昼過ぎで、休憩中のサラリーマン氏が台座に腰掛けて本を読んでいます。その前をわさわさと通り抜け、清水門へ。古地図では、まっすぐに清水殿のお屋敷に通じている門です。その先の田安門も、田安殿のお屋敷直通。この周辺には、ほかには大きな屋敷はなく、みんなこまごましています。お城を背負った御三卿の権威を見せつける造りでありましょうか。

清水門を入った内側が、北の丸公園です。武道館には何度もコンサートで来たことがあるけど科学技術館には来たことがないというミヤベは、北の丸公園も、ゆっくりと散歩するのは初めてです。昼休みでくつろぐ人びと、お弁当を食べるOLさんたち。園内の吉田茂像が、森繁久彌さんに似ていることを、ミヤベは発見いたしました。『小説吉田学校』が映画化されたとき、演じたのはモリシゲさんだったのでは？　その先入観があるからかもしれないけど、何しろそっくりですよ。

コンサートで武道館に来るときは、帰りは夜になっているし、北の丸公園側の出口すなわち清水門は閉じられているしで、全然気づかなかったのですが、武道館の周辺にも史跡のたぐいはたくさんあります。なかでも目を惹いたのは、建物の脇の坂道を登っていった先にある、小さな記念碑。ほとんど崖っぷちに立っているようなこの碑は、昭和天皇がその昔、関東大震災の後、復興の成った下町一帯をここに佇んでご覧になったと

いう、その記念の印なのです。

「そうか、昔はここに立てば下町の方まで見通すことができたんですね」

　実際、北の丸公園内を歩き、次に千鳥ヶ淵の方へと出てゆくと、道灌がここを天然の要害と思った理由がわかってきます。出発点の馬場先門あたりでは、すぐ目の下にあったはずのお堀が、ここではなんと遠いこと。この高低差。千鳥ヶ淵だけ歩いていると、それが当たり前。丸の内近辺だけにいると、それも当たり前。でも、通して歩いてみると、違いがよくわかります。そうなんだ、ここは台地だったんだなあと、つくづく実感することができました。北の丸公園内には、とりたてて看板など立てられてはいませんが、大きなかやぶき屋根のついた門や、がっちりと築かれた土の塀など、城の名残が散見されます。それらを見学してから高台にあがると、「江戸城」というものの存在が、皇居の森のイメージの向こうから幻のように立ち上がってくる──なかなか得難い経験でありました。

　　4　イベント発生！

　さて、昼食休憩を九段下でとり、午後の出発点は千鳥ヶ淵。千鳥ヶ淵は言わずと知れ

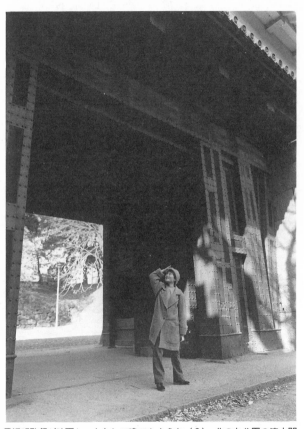

黒沢明監督が映画セットとして建てたような（?）、北の丸公園の清水門。
かくも風格ある歴史的建造物（ホンモノ、いうまでもなく）が、ロックコ
ンサートで賑わう日本武道館のそばに目立たず、さりげなく鎮座していた。

た花見の名所ですが、花のないときにも景観の見事さには変わりありません。新発見し
たのは、お堀の向こう側の様々な場所に、たぶん光学監視装置なのでしょうけれど、カ
メラみたいなものが据え付けられているということ。さらには、皇居の周り、お堀の縁
の目のくらむような高いところを、警備の人が歩いてパトロールしていることです。

「命綱、つけてるのかな」

目をこらしたけど、もちろん見えません。

もうひとつ、千鳥ヶ淵の公園には、どういうわけか、猫がたくさんいました。一匹や
二匹じゃない、そこにもここにもやたらといるのです。野良猫にしてはきれいだし、人
間を警戒しない。ベンチで煙草（たばこ）を吸っているサラリーマン氏の隣で丸くなってたりする
んですよ。

「あの、失礼ですがそちらさまの飼い猫ですか？」とお尋ねしてみると、サラリーマン
氏も苦笑して、

「違いますよ。ここに、いっぱい住み着いてるんです」と教えてくれました。お花見の
時には気づかなかったけど、猫の王国（４）でしょうかね。

公園を出てひたすら南へ、南へとくだってゆくと、半蔵門（はんぞうもん）の北門で内堀通りと合流し
ます。桜並木はずっと続いていますが、当然のことながら車の流れは激しく、左にお堀、
右にビルと車という眺めに逆戻り。北門から半蔵門のあいだが半蔵濠。イギリス大使館

を横目に直進してゆくのですが、ここはほぼ直線なので、進行方向の半蔵門が、遠くか

らもよく見えます。

で、気づいてはいたのです。

「なんか、半蔵門のあたりに人が集まってますね」

女の人が三、四人、それにあとは制服姿の警備の人たちが七、八人。近づいて行くと、

半蔵門には警備の詰め所があるのがわかりました。

この半蔵門も、お堀と道路（橋も）との落差が大きいところですから、雄大な感じが

するのですが、しかし頭を寄せて楽しそうにそこに溜まっている女の人た

ちは、観光に来て橋とお堀の眺めを楽しんでる――という雰囲気ではありません。だけ

ど、手に手にカメラを持ってるのよね。警備の人たちも、女の人たちと笑顔でしゃべっ

たりしています。だけど、そうしながら通行止めの標識を並べたりしてるのですよ。

「あの、何かあるんでしょうか？」

質問したニコライ江木氏に、警備の人が笑顔で答えました。

「これから、雅子妃殿下がここをお通りになるんです」

あらま！　そういうことでしたか！　この溜まっている女の人たちは、皇室ファンで

あるのでした。

驚くお徒歩隊に、さらにニコニコしながら警備の方は言いました。

「標識の外へ出ないようにしてくれれば、写真を撮ってもいいですよ。あと一〇分くら
いでお通りになりますから、待っててごらんなさい」

別の人も、「今日は見物人が少ないから、前の方で見られるよ」

じゃあ、せっかくだから――とお徒歩隊も待つことにいたしました。

「土居君、アングルはどう？」

「できるだけアップが欲しいんですけどね」

「みんな静かにしてなきゃダメなんじゃないの」

などなどと言っていると、盛んに無線機でやりとりをしていた警備の人たちが、すっ
と通りの方に出ていきました。半蔵門の交差点は交通量の多いところです。実はミヤベ、
あと一〇分で来られるならば、もう車の通行止めしておかないと間に合わないんじゃな
いのと余計な心配をしていたのですが、いやはや、おみそれしました。白バイ二台に先
導されて都合三台の黒塗りの車が、左手の方に見えてきたなと思うや否や、警備の人た
ちは、実に見事に手際よく、通行する車を止めて道を空けてしまったのです。

「雅子さまー」

先ほどから溜まっていた女の人たちが、声をかけて写真を撮ります。雅子妃殿下は、
この季節でも車の窓を下げ、女の人たちと警備の人たちに笑顔を向けて、⑤一瞬で通り
過ぎました。白いお洋服で、帽子もちゃんとかぶっておられましたよ。

車が通過すると、またまた見事にあっと言う間に封鎖は解かれ、車が行き交い始めます。

「手慣れてるね——」と、感心するミヤベ。さっきの女の人たちは、また警備の人たちと楽しそうに話をしています。そこへ自転車で通りかかった女の人がいて、

「もうちょっと早く来ればよかった」

「残念でしたね」

なんて言われています。

「江戸城すなわち皇居一周にふさわしいイベントだったんじゃありませんかね」と、半蔵門を後にしたお徒歩隊でありました。桜田門まで、もうあとひと息です。

社会党（現・社会民主党）本部を横目に、憲政記念館でちょっとひと休みしながら、お徒歩隊の話題は桜田門外の変について——であります。憲政記念館は、井伊掃部頭の上屋やしき敷だった場所でありますから。

「古地図で見ても想像できるけど、歩いてみるともっとよくわかりますね。井伊家の屋敷と桜田門て、すごく近いんですよね」

桜田門、正確に言えば外桜田門そとは、桝形ますがたが完全に残っている珍しい城門のひとつですが、ここと井伊家の屋敷のあいだの距離は、ちょうど現在の営団地下鉄有楽町線の桜田門駅の端から端まで——よりも五割方長いかな、というくらいのものです。江戸時代、

登城する大名は、もちろん駕籠（かご）に乗るわけですが、その駕籠は、いつも駆け足で担がれたそうです。なんとなれば、何か変事があった時、急ぐために駆け足にすると、すぐにそれと悟られてしまう。で、それを防ぐためにいつも駆け足していたのだそうです。お疲れさまのことですが、だとすると井伊大老の駕籠も走っていたはず（幕末の世情騒然（せじょうそうぜん）としていた頃ですから、本当に緊急の用件のために走ることも多かったでしょうが）。

そこを襲われたのですから──

「運が悪かったとしか言いようがありませんな」と、ニコライ江木氏。

「逃げられなかったのかな」とミヤベ。

浅学のミヤベでも、「歴史は生き物だな」と思うのは、こういう時です。歴史は自分の意志を持っていて、そちらへ行くために、「ここ！」というポイントで、信じられないような偶然を重ねたり、とんでもないラッキーやアンラッキーを演出したりするものです。井伊大老の暗殺は、文字通り江戸幕府の息の根を止める出来事で、この事変以来、坂道を転がり落ちるようにして幕府は瓦解（がかい）してゆくのですから、この短い距離で命を取られた大老は、ほかの誰でもない、新時代を迎えようとする「歴史」そのものに殺されたのかもしれません。井伊直弼（なおすけ）にとって、この時、桜田門までの距離はとてつもなく遠かったのです。

さて、こうしてお徒歩隊は馬場先門へと帰ってきました。内堀通りの交差点を、来た

時とは逆に渡りながら、ふと振り返ると、二重橋のあたりにぼんぼりのようなきれいな灯りが点々とともされ、皇居の森は夕暮れに静かに沈んでおりました。江戸城一周、なかなか楽しく発見の多いコースです。マラソンばかりが一周じゃありません。気候の良い時期など、どうぞお試しになってみてください。

それで──次回のお徒歩なのですが、皆様待望の（？）「毒婦みゆき」第三弾。どうやらミヤベ、八丈島に流されることになりそうです。乞うご期待！

※

参考文献

『千代田区史跡と観光』（千代田区役所）

『国史大辞典』（吉川弘文館）

『みどころちよだ』（千代田区観光協会）

『江戸切絵図』（新人物往来社）

『幕末人物事件散歩』（人文社）

『江戸城』戸川幸夫（成美堂出版）

注釈、講釈、後日談

其ノ四

① **ドラクエⅥ**【どらくえ・ろく】ドラゴンクエストⅥのこと。平成七年十二月のこの当時、発売されたばかりでした。飲まず食わず眠らず風呂にも入らずにプレイした皆さんも多かったのでは？

② **遅刻**【ちこく】この対談がどの対談で、相手がどなたただったのかということは、ミヤベ、死んでも口を割らないもんね。ちなみに、遅刻の原因となったソフトは『タクティクス・オウガ』でした。タクティクス・ファンの皆さん、ギルバルト・エンディングを見ましたか？

③ **『小説吉田学校』**【しょうせつ・よしだがっこう】ピンポーン、お見事。ミヤべさん、正解であります。モリシゲさんでしたよ、吉田茂を演じていたのは。それにしても、そっくり。瓜ふたつ、ですね。

昭和五十八年公開 写真提供・東宝

映画のスチールを見て、吉田茂がモリシゲさんを演じているのか、と思いました。ところで、ミヤべさんは「会いたい人」という春風亭小朝師匠からの質問に「東条英機、吉田茂、田中角栄」と答えています。その理由として、「演説ではなくて、普通に会話しているとき、どんなふうに話す方だったのか知りたいですね。会ってみたいというよりは、近くで声を聞いてみたい」（『小説新潮』平成十年二月号より）。

④ **猫の王国**【おうこく】この王国〝緑道〟という名前だそうです。千鳥ヶ淵の猫君、猫さんたちは皇居界隈では有名らしく、「本当はいけないことなんですが、近所のひ

とたちが、餌をあげたり、雨の日には濡れないようにと段ボール箱で家をつくってあげたりと面倒をみています。

何匹いるか、正確な数字は調べていないから、わかりませんが、二十匹はいるでしょうね。飼い猫のように人間を警戒しない、ものおじしない性格になったのは、近所のひとたちの親切とたぶん関係があるんでしょうが、実際のところ、どうしてなんでしょう。猫君や猫さんたちに、直接聞いてもらえませんかね」(千代田区)。

⑤ 一瞬【いっしゅん】左の通り。バッチリ、であります。

其ノ伍

流人暮らしでアロハオエ

平成八年七月十五、十六、十七日

東京

大島

利島
式根島 新島
神津島

三宅島
御蔵島

八丈小島 八丈島

300 km

八丈富士（西山）

抜舟の場
底土港
近藤富蔵の墓
島酒の碑
八丈町役場
宇喜多秀家の墓

八丈ビューホテル

空港

八重根港

三原山（東山）

八丈島歴史民俗資料館

黄八丈山下
め由工房

0 1 2 3 km

今年も暑い夏がやって参りました。皆様お元気にお過ごしでございましょうや。クーラーによる寝冷えとオリンピック観戦による寝不足に、よもやヨレヨレになってはおられませぬでしょうか。

ミヤベミユキとその一党が、野越え山越えひたすら歩き回る平成お徒歩日記も、めでたく三年目の夏を迎えました。未だミヤベの腎臓結石は消えてなくなっておりませんが（そもそもこれは完治する類の病ではないらしいです）一党はもろともに元気いっぱい、ひとりの脱落者も出さず除名者もなく反面ダイエットの効果は期待したほどでもなく、今日に至ったわけでございます。

さて昨年以来、夏期のお徒歩企画では江戸を離れ、冬期には江戸を中心に歩こうというような方針が固まって参りました。となりますと、今夏は地方巡業の番。今度はいったいどこで何をやらされることだろうと、実はミヤベ、年頭早々から恐れおののいてお

りました。それほどに、昨夏の箱根関所破りはしんどかったのでありますよ。

少々舞台裏をお見せしますと、このお徒歩企画、業界内部でちょっとした評判をとっておりますのです。ま、その評判の大部分というものは、

「あんな大変なことをよくやるもんだ」

もしくは、

「どうせやるなら全部歩き通すべきだ」

という二種類の意見に分かれるのでありまして、どちらに対してもミヤベ一党はただただかしこまり平伏するのみであります。

が、しかし、時折もう一歩踏み込んで、具体的な「提案」が舞い込んでくることもございます。

「神君伊賀越えルートを踏破しましょう」

「秀吉の中国大返しの再現は？」

「どうせなら大山参りですよ、やっぱり」

「後醍醐天皇の隠岐からの脱出、これをミヤベさん、身を以て体験したらどうです？」

とどめの一発は、これ。

「やはり遣唐使というものが基本ではないかと……」

いつでもどこでも、ミヤベ、具体的提案は大歓迎いたします。しかし、ここでひとつ

はっきりと申し上げておきたい。この種の大胆不敵提案を持って来られる皆の衆、言い出しっぺは、必ず、我々一党と一緒に行くんですよ。例外はナシ、逃亡は御法度。

よござんすね？

と、毎回提案を受ける度に心中ひそかにスゴンでいたミヤベでありますが、その脇で、ミヤベ担当のお徒歩編集者ニコライ江木氏の頭に、ふと閃くものがありました。

「後醍醐天皇……」と、氏は呟きました。

ミヤベ大狼狽。「嫌だよ、小舟で脱出なんてとんでもない！」

「いえいえ、そうじゃないですよ。隠岐じゃないです。そういえば流人という手があるなあと思っただけで」

「どこへ流されるの」と、半泣きのミヤベ。「できれば、虫やケモノのいないところがいいな。あと、水洗トイレ②があってコインランドリーがあって温泉があって——」

「八丈島ですよ、八丈島！」ニコライ江木氏、晴れ晴れと申します。「真夏の八丈島ですよ。ニッポンのハワイ！　バカンスにぴったりじゃないですか」

バカンス——お徒歩日記にはかつて登場したことのない概念であります。そう、今回初めて、ミヤベ一党はお徒歩と夏休みとを重ね合わせて考えることができたのでした！

さっそく伝令を飛ばすと、やはり毎度おなじみの文庫のハカセ阿部氏、出版部の庖丁人中村氏ともに手を打って大喜び。庖丁人中村氏曰く、

「僕、お徒歩にあわせて夏休みをとって、女房子供も連れていこうかなあ」

そうしなさいそうしなさい、わーい夏休み！　と浮かれる一党の最後の難関は編集長。

ニコライ江木氏おそるおそるお伺いをたてに参りまして、

「編集長も同行すると言ってます！」

「じゃ一緒に夏休み……」

「それじゃ駄目です、ぜぇったいに駄目！」

と、声を張り上げるニコライ江木氏。

「編集長向けには、めちゃくちゃハードで緻密で歴史的学習目的満載の日程表を、僕がつくります。それを見せればテキメン、私は忙しいから東京に残ると言い出すでしょう」

「駄目なら、フェリーが東京湾沖に出たところで、私、責任持って甲板から突き落とします」

「騙しきれるかしらん」

（ということをニコライ江木氏は申しておりましたよ、編集長）

実際には、編集長うまく騙されてくださいまして、命は助かりました（ああ、よかっ

た）。そしてミヤベ一党も、七月十五・十六・十七日の二泊三日、夏のバカンスに出発進行！　と相成りましてございます。

1　東海汽船で流されて

「八丈島ときいて何を連想しますか？」

百人にこの質問を投げて、

「ああ、江戸時代の流人の島ですね」という答えが返ってくる確率は、はたしてどれくらいのものでありましょうか。これは裏返せば、

「去年スキューバに行ったよ」

「年に二度くらいは釣りに行ってます」

というような回答が、さてどれくらい混じってくるかという問題でもありますね。東京からフェリーなら船中一泊、飛行機なら四十五分という近場にある亜熱帯のこの島は、現代人にとっては、なんのためらいもなく断言することのできる観光の島、ニコライ江木氏の言うとおり、日本のハワイであります。

ミヤベは、八丈島を訪れるのは今回が初めてなのでありますが、この島がそういう南

海の楽園島であるということについては、事前に知識を持っておりました。テレビで見たのです。これが観光番組じゃありませんで、サスペンスドラマの再放送でした。斉藤慶子さんが、なんと！

美貌の女性推理作家を演じていて、しかも悪女で犯人役なのですよ。人をふたりも殺したうえに、三人目を殺そうとして未遂に終わり、お縄になるのですがね。ミヤベも一応、ビボウではないけど女性推理作家であるわけですし、〆切違反で過去数人の担当編集者を半殺しの目に遭わせているという立派な実績もあり、この設定にはいたく心をそそられまして、原稿も書かずに昼からソファにひっくり返り、じっくり観てしまったドラマであります。

斉藤慶子さん演じる女性推理作家は、実にエレガントで美しく、ライフスタイルもお洒落で、趣味はスキューバダイビング。かなり古いドラマなので、当時としては、これは相当「先端！」という感じの設定でしたでしょう。で、彼女がしばしば潜りに訪れるのが、八丈島の青い海だったのです。

このころは何も知らなかったミヤベは、彼女が島へ飛ぶ際にジェット機でぶん！と行くのに驚き（ＹＳ—11しか飛んでないだろうと思いこんでいたんです、ゴメンナサイ）、宿泊先の植民地スタイルの白亜のホテルに驚き、街路樹のフェニックスの並ぶ白い舗装道路に驚き、うわあ、八丈島ってきれいなんだなあと、ひたすら感動してしまいました。何年も前のドラマのなかに映っている景色がこれなのだから、現在はもっとも

っと進んでいるのに違いない、こりゃ楽しみだと思いました。その一方で、慶子さん演じる美貌の女性推理作家が、どうみても仕事量の割に生活が豊かすぎるとか、原稿書くときに目が吊り上がっていないとか、このヒトはゲラ刷りというものをチェックしないのだろうかとか、いちいち突っ込んでいたのですが、ま、それはどうでもいいことです。

さて、こんなにもリッチな顔を持つ現代の八丈島ですが、ほかでもない八丈島さん自身は、みずからの歴史とアイデンティティについて、どんなふうに考えているのでしょうか。ミヤベはあいにく八丈島言語を解さないのでじきじきの取材はできず、『今明かそう、俺の真実　八丈島熱く語る』などというインタビュー集もありませんが、しかし、有り難いことにここに一冊、『増補四訂八丈島流人銘々伝』という、八丈島をこよなく愛する方々がまとめられた見事な資料本が存在しています。これをひもときますと──

「つまるところは、八丈島の文化は流人の文化ということに帰着するのであって、そういう意味からも、八丈島は流人の島ということになるのである」

という一文があるではありませんか。うーむ、見事な自己定義。

八丈島の文化や産業の育成に助力した流人といえば、ぱっと思いつくのは、宇喜多秀家(うきたひでいえ)と近藤富蔵の名前。前者は関ヶ原合戦の西軍の総師(そうすい)のひとりであり、後者は人殺しをして流罪にされた先のこの島で、『八丈実記(じっき)』という後世にまで残る歴史記録をまとめたという人です。もうひとり、とんでもねえ悪女として『半七捕物帳(はんしちとりものちょう)』にも登場する遊

女の大坂屋花鳥、十五歳で流されてきて持ち前の美貌で流人社会に君臨し、二十三歳のときに同じ流人の情夫と島抜けに成功、しかしその後江戸で捕らわれて、二十七歳で小塚原の刑場の露と消えたという稀代の莫連女がおりますが、彼女については、この『銘々伝』で名前を確認するまでは、てっきり架空の人物だと思いこんでおりました。

この三人の名前を並べてみて、もしもこの人たちが流罪にならず、元の社会にいたままだった場合には、お互いに顔を会わせる機会、もしくはお互いの実績について見聞する機会があっただろうか――と考えてみると、「流人のつくった文化」というものの特殊な豊かさの原点が見えるような気がしてきます。

「流罪」という罰の下し方は、まだまだ世界が広かったころ、未踏破の土地が腐るほどたくさんあった時代にこそ、存在し得たものです。またその時代にはまだ、一般的な暴力犯と、その犯した罪が家庭内や共同体内の葛藤の延長線上にあって、罰よりはむしろカウンセリングが必要な犯罪者と、思想犯と、宇喜多秀家のような政治的敗者と、それらもろもろの「犯罪者」を厳密に区別するという思想が生まれていませんでした。いっしょくたにしてみんな流してしまっていたわけです。当然、流された先には、とりどりの思想的文化的生活背景を持つ人々が集まることになり、元の社会では考えることのできないようなスピードと濃度を併せ持った特殊な文化が花開く――これは、必然とも言えることでしょう。ただし、その特殊な文化を邪魔するものも、大きくふたつ存在して

いるます。

ひとつは離島の自然条件であり、もうひとつが、花鳥もそのうちのひとりに分類していいでしょうけれど、真に暴力的破壊的な反社会的犯罪者の存在ということになりましょう。

　花鳥はホントに怖い女なんですよ、ぶるぶる。

　さて、我々一党を八丈島まで運んでくれるのは、小型帆船の流人船ではなく、東海汽船の大型フェリー「すとれちあ丸」でありました（「ストレチア」とは極楽鳥花のこと。八丈島の象徴のような花です）。午後十時半に竹芝桟橋を離岸、翌朝九時十分に八丈島の底土港に入るという予定です。二泊三日の旅程のうち、船中一泊をここで過ごすことになるわけですね。

　集合場所は、ゆりかもめの竹芝駅改札口でありました。約束の時刻にミヤベが改札口に行きますと、そこで待っていたのは写真部のカメラマンさぬきうどん土居氏。昨冬の江戸城一周でお徒歩隊に初参加してくれたミヤベ一党最少の若者であります。実は今回の流人行に、最年長のカメラマンマック田村氏が同行するか、若手のさぬきうどん土居氏が行くかということで、水面下では熾烈な闘いが展開されておりました。結局、古参のおじさまマック田村氏に別の予定が入ってしまい、さぬきうどん土居氏が三脚担ぎで二度目のお勤めとなったわけですが、一党のなかでもいちばん真面目なこのさぬきうどん土居氏が、なんとも複雑な笑みを浮かべてミヤベを出迎えてくださったその理由と

「あの、皆さんもう集まってます」

「集まってる？　どこに？」

「この先の店でして」さぬきうどん土居氏、さらに屈折した笑みを浮かべつつ、「みん

なもう、できあがってます」

竹芝駅近くのレストラン内に、はい、皆さんおりました。一党のニコライ江木氏、ハ

カセ阿部氏はもちろん、マック田村おじさまも、そのうえなんと編集長までも、生ビー

ルのジョッキを囲んで赤い顔。

「見送りにきましたよ」なんて、ホントかしらんというリラックスぶりであります。

ミヤベが真面目な作家でありますならば、「取材旅行なんですよ！」と一喝、怖い顔

をしてみせるところでありますが、なにしろもうバカンス気分、しかも私事ではありま

すが、七月一日からある長編小説執筆のために超閉鎖的③自主缶詰状態に突入しており

まして、この日は二週間ぶりに姿婆に出てきたところだったものですから——

咎めるどころか、一緒に「キレ」ました。なんかもう、全員で八丈島まで繰り出しか

ねない勢いでありました。

出航時間が近づいた頃、見送りメンバーとしてもうひとり、庖丁人中村氏が足を運ん

できてくれました。そうなのですよ、計画段階では出版部代表で一緒に行くはずだった

彼なのですが、四月に週刊新潮へ異動してしまい、無念の残留組となったのでした。ち
なみに、庖丁人中村氏ひとりだけは、ずっと素面でした。

長旅の客船ではないので、出港・見送り光景もシンプルなもの。ただ、編集長じきじ
きにテープを投げようと桟橋で頑張っていてくださいましたのに、船がゆらりと岸を離
れ始めたとき、肝心のミヤベはトイレに入っておりまして、おりょおりょ慌てている
うちに岸辺は遠ざかり――失礼いたしました。この夜はどしゃどしゃの雷雨。どこへ行
くにも荒天がつきまとうミヤベです。

すとれちあ丸乗組員の方のお話によると、七月中旬では本格的な観光シーズンにはま
だ早く、今夜の乗客の数も、オン・シーズンの十分の一ぐらいだそうです。ですから船
室もガラガラ。のびのびと乗り込んだミヤベ一党であります。しかし、計算違いもござ
いました。

「いろいろな船室をのぞいて見ることができた方が面白いでしょう」

というニコライ江木氏の発案で、この船旅では、すとれちあ丸の特等、特一等、一等、
二等の船室を全部ひとつずつ予約し、てんでに泊まり具合を調査してみるということに
なっていました。一応女人ひとりのミヤベは個室の特等をあてがわれ、あとのお三方は
相部屋ということになるわけです。でも、なにしろ乗客数が少ないので、本来ふたり部
屋の特一等のニコライ江木氏もひとりきり、四人部屋の一等のハカセ阿部氏も大人しい

感じの中年紳士とふたりきり、さぬきうどん土居氏宿泊の二等のいわゆる「雑魚寝部屋」も、あっちの隅にひとり、こっちの端にひとりというくらいの空き空き具合となりました。これがですね、

「可愛いギャルたちと相部屋になるかもしれない！」

という、男衆三人の期待から大きくはずれることになったわけですねー。悪いことはできないものです――。ざまあみろですね。

一同は粛々とニコライ江木氏の特一等の部屋に集い、竹芝桟橋での勢いを引きずりつつお酒を飲み、缶詰明けの喜びにうち震えるミヤベは、売店で買ってもらったモナカアイスを、憑き物に憑かれたような目をして食する――そのうちに、船は外海へと滑り出て行ったのであります。

2　八丈ひょっこりひょうたん島

翌朝八時。　船窓から差し込む日差しの明るさに、ミヤベはぱちくりと目を覚ましました。

船酔いさえしなければ、船旅はこの世でいちばん贅沢で気分のいいもののひとつです。

飛行機は苦手で大嫌い、やむを得ず乗り込むときはいつも、離着陸の際に数珠を握りしめてお念仏、同行の編集者に、

「縁起でもないことをしないでください！」

と叱られるわたくしミヤベも、船には非常に強くできておりまして、今まで酔ったことがありません。寝起きの爽快なことといったら、陸では考えられないほどです。

甲板に出ていくと、空と海は互いに競い合うように青々と澄み、進行方向にはすでに八丈島の全景がくっきりと浮かび上がっています。この日の太平洋はほんの少々荒れ気味かなという感じ。紺碧の海の上に白い三角波が、ときどき、ぴぴっ、ぴぴっと鋭角的にはじけます。これを「うさぎが飛ぶ」と表現するのだそうです。

快適に白波を切って進む我々の立場から、かつて流人船に押し込められた罪人たちが、波間に見え隠れしつつ近づいてくる八丈富士を仰いだときの気持ちを想像するのは至難の業。お徒歩日記の大きな目的が、江戸の人々が日々感じていたはずの地理的距離感を体感しようというところにある以上、これではいけません。でも今さら、反省して帆船に──というわけにもいかず、うん、やっぱり今回はバカンスだなと思うミヤベをお許しあれ。

そうこうしているうちに、船は港へ。降船のアナウンスがあって、我々も荷物をまとめ、乗降船口に集まりました。そこから、だんだんに近づいてくる緑の島をつくづくと

眺めているうちに、ミヤベはだんだん不安になって参りました。

確かにこの日は抜けるような上天気なのですが、ちょうどひょっこりひょうたん島のような形をしている八丈島の、両端にある高い山、向かって左の三原山（または東山）と向かって右の八丈富士（または西山）のそれぞれ八合目あたりまでには、申し合わせたように深い白色の霧がかかっているのです。霧の内側はいかにも神秘的かつ気温も低そう。緑のジャングルの上にどわああんと淀んでいる様には、なにやら不穏なものが感じられます。

こういう光景を、怪獣映画のなかで観た覚えがあるぞ──八丈島が『マタンゴ』の島だったらどうしよう──ギャオスが出てくるならガメラを呼べばいいけど、マタンゴは誰にも退治できないんだよ──などと鳥肌立てておりますと、やはり甲板で島を仰いでいたハカセ阿部氏が言いました。

「キングギドラが出そうですね」

アホな妄想は、同じことを他者の口から聞かされると雲散霧消するものです。ミヤベははははと笑い、それにしてもハカセ阿部氏は④「ひょっこりひょうたん島」の「ハカセ」にそっくりだと改めて感じたのでありました。

底土港を離れた我々は、まず、手荷物を預かってもらうために、今夜の投宿先「八丈

夏だ！　バカンスだ！　お徒歩だ！　青い空、広い海、おいしい空気。よみがえった毒婦は、なんだか、すこぶるリラックス＆"青春"しております。

「ビューホテル」に向かいました。さんさんと降り注ぐ陽光の下、タクシーに乗り込んでいざいざ出発。ビューホテルはひょうたん形のくびれ部分の中央あたりに位置しているので、車は島の内側へと進んで行きます。

帰路に我々が乗り込むことになる飛行機が発着する八丈島空港も、やはりこのくびれの部分に造られています。ほかの場所には造りようがなかったのでしょうね。やや大げさにいうと、着陸する飛行機がオーバーランして滑走路を飛び出すと、すぐに海にどぼん――というくらい、くびれの部分の長さをいっぱいいっぱいに使っている空港です。

フェニックスの街路樹、白亜のホテル――ドラマで観たのと同じ光景に、ビボウではないけど女性推理作家のミヤベは大満足。我らが八丈ビューホテルは、オーシャン・ビュウの眺めも素晴らしく、白亜ではない代わりに家庭的雰囲気が溢れていて、食事も美味しく言うことナシ。八丈島特産の冷たいあした葉茶で喉を潤し、さあ遠足に出かけることにしました。

最初に訪れたのは、八丈島歴史民俗資料館であります。かつての役場の建物を利用した建物の外観は、これまた怪獣映画のなかの、南海の孤島でひとり孤独に絶滅した大型生物の研究に打ち込んでいる博士の研究所を思わせる造り。でもなかに足を踏み入れると、気さくな職員の方が、「暑いでしょう」と言いながら、うちわを勧めてくれるので

「クーラーがありませんからねえ」

そこで見学者は一様にうちわをぱたぱたしながら展示物を観てまわるというわけで、これはとても楽しい。南国ならではという感じがします。そういえば、途中で見かけた八丈町役場も、空調機の類いが一切設置されていないのか、白金色の陽光の下で、窓を全開にしていていました。総工費ウン十億円などというたわけた区役所や市役所を建ててしまう自治体の議員サンたちに、爪の垢でも送ってあげてほしいものであります。

歴史民俗資料館の内部は、おおまかに、八丈島の「島」としての地理や植生、生物の生態についての資料を集めたコーナーと、島の産業と生活史を扱ったコーナーと、さらにそのなかの大きな部分としての流人の歴史を扱ったコーナーとに分かれています。考えてみれば当然の話ですが、流人の島は流人ばかりで構成されていたわけではなく、彼らを受け入れる側の島民の生活が、流人以前からそこに存在していたのです。島の大半をふたつの山に占領され、田畑の少ない食糧事情が厳しいところなのに、外界から一種無責任にこの地に送り込まれてくる「罪人」たちに対して、しかしこの島の人びとは寛大でした。この温かい心があってこそだったわけです。

流人がこの地で文化を花咲かせることができたのも、受け入れ側の島民たちの、この温かい心があってこそだったわけです。

江戸期の流人は、江戸からいきなり八丈島へ送られるのではなく、一度三宅島に降りて、そこで半年から一年をいわば「流人の新人」として過ごし、それから再び八丈へ送

られたものなのだそうです。そして、三宅島ではひどく虐められ、悲惨な暮らしを強い
られた流人たちは、八丈に着くと、そこでの扱われ方がはるかに優しく人間的なので、
極楽のようだと感謝したのだそうです。まあこれは、疑り深い推理作家のミヤベとして
は、⑤三宅島側の言い分も聞いてみてあげたいなと思うところではあるのですがね。

伊豆諸島が流刑の地として認識されてきた歴史は古く、源為朝が大島に流されたと
いうのは史上有名な話です。ただ、コンスタントに流人が送られるようになったのは江
戸期、それも五代将軍綱吉のころ以降の話です。さらに時代が下がって寛政のころには、
伊豆諸島のなかでも南方の三宅島・新島・八丈島の三つに限り、流罪地と定められまし
た。それより北方の島々は、海路が開けてしまったが故に、流刑地としては用をなさな
くなってしまったのです。この三島への流刑は、制度としては明治四年まで続きました
が、幕末期には、流人たちはもっぱら蝦夷地へ送られていました。黒船来航などで、伊
豆諸島付近の海が騒然としてきたからであります。

こうして見ると、例外的な為朝を除くと流人の代表選手のように感じられる宇喜多秀
家は、やけに早く八丈に流されたという感じがしてきます。彼はまだ戦国期の、徳川
幕府黎明時代の人ですよね。それだけ、体制側から煙たがられたということでしょうか。
宇喜多秀家はこの島での逸話も多く、我々が歴史民俗資料館の次に見学に行った彼のお
墓は、「宇喜多」「浮田」の姓が刻み込まれたたくさんのほかのお墓に囲まれていました。

戦国期を終結させた徳川家康は、政治家としては立派な人物だったと思いますが、徳川政権に対抗しそうな勢力を圧殺する彼のやり口は、あまり正視できるものでもなく、それを思うと、こういう形で名前と子孫をこの地に残した宇喜多秀家は、幸せだったと言える一面もあったんじゃないかなとミヤベは思います。もちろん、生活は本当に厳しかったことでしょうけれども。

続いて見学に行った近藤富蔵のお墓は、とにかくだだっ広い墓地のなかに、はっきりと目立つ案内板もないままに存在しているので、探すのに大汗をかいてしまいました。それと、これは南国だなあと実感したのは、お墓がにぎやかで明るいこと。供えられている花々の色がヴィヴィッドなので、やたら陽気な墓地になってしまうのです。お墓買うなら八丈島かなあと、ミヤベは思ったことであります。

途中で道が判らなくなり、道筋のガソリンスタンドの店員さんに尋ねると、店員さんもよく判らない。すると居合わせたお客さんが、「どこ行くの？　説明するより早いから乗せてってやるよ」とおっしゃるひとコマもあり、ホントにのんびりして気持ちのいい島の人びとであります。それとなく強調しておきますが、そうなんですよ、この遠足の間は、我々ちゃんとお徒歩していたのです。

⑥　八丈島名物の「あそこ寿司」でお昼を済ませ、元気を取り戻した我々は、午後の日程で島の南側へ。なかでもミヤベはいちばん元気。なぜならば、目的地が黄八丈の染元

であるからです。

八丈島へ行ったら黄八丈の反物を買ってこようではないか——この思いは、すとれち

あ丸の船室に居るときからミヤベの心を騒がせておりました。本場の品をじっくりと鑑

賞し、染元さんのお話も伺い、お勧めの品を抱いて東京へ帰るのだと、ひとりわくわく

どきどきしていました。日頃ロクな洋服を着ておらず、どこへでもズボンに運動靴で出

かけ、道ばたのイラン人さんから買い物をしては先輩諸氏や大沢オフィスのマネージャ

ーさんに叱られているミヤベでありますが、着物だけはね、着物にはちょっとウルサイ

のよ。ですから、粋な黄八丈の縞の着物はどうしても欲しいアイテムなのでした。

訪れた黄八丈山下め由工房は、天井の高い木造平屋の室内に、ざっと十台ばかりの織

機——これを「高機」と呼びます——を据えて、数人の女の人たちが仕事の最中でした。

奥の一角には糸繰り機が据えられ、機械には淡い黄色の絹糸が巻き付けられたままにな

っています。即売のショウケースも仰々しいものではなく、反物からネクタイ、黄八丈

を使った財布や印鑑入れのような小物まで、なんのてらいもなくシンプルに並べて見せ

ているのでした。

ミヤベはじっくりと品物と値札を検討。いやまだ早い、もう一日考えてから買おうと、

一旦は引き上げることにしました。ここでさぬきうどん土居氏はちょっと可愛い黄八丈

の小物を購入。お土産ですね、感心、感心。

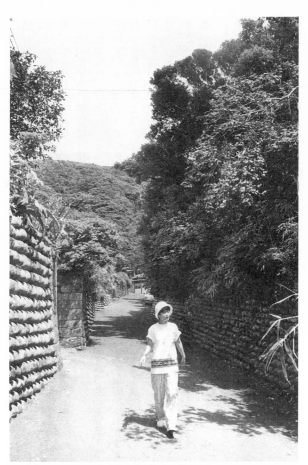

足取り軽く、のほほんとお徒歩する流人の新人さん。

ホテルへの帰り道、通称「抜舟の場」という浜に立ち寄りました。流人たちが島を脱出しようとする際に使われた浜辺ですが、浜というよりはかなりの磯でして、ここから舟を出すのは大変な難行だったろうと思われます。事実、舟を出した記録は十五回あれど、成功例はたったの一つ。これがあの花鳥たちです。わたしたちは一般に「島抜け」と言いますが、島では「抜舟」と呼ぶのですね。

続いて、「島酒の碑」という面白いものに遭遇。独特の芳香を放つ島特産の芋焼酎の製法を伝えた流人、丹宗庄右衛門を記念して建てられたというこの碑は、これもまた島独特の建築風俗である、玉石を積み重ねた「玉石垣」の上に、大きな焼酎の瓶をのせた形をしています。そのうえ、すぐ左隣に、「魚の碑」というものが並んで立っているのです。タイヤキみたいな形の魚のオブジェが、やはり玉石垣の上にのせられているのですが、海の恵みに感謝するこの碑、どうしても「肴の碑」と読めてしまい、つまりこれで「酒と肴」が左右に揃ったというわけです。この種の碑を眺めて楽しい気分になるというのはめったにないことで、藪蚊にくわれつつもパチパチと写真を撮った我々でした。ここでホントに「酒と肴」。ビューホテルの皆様、ごちそうさまでした。美味しかったです。

ただいまと戻ったホテルでは、海の幸が待ち受けていてくれて、

3　ミヤベの「買っちゃった踊り」

さて、一夜明けて――

ミヤベの頭のなかはまだ黄八丈状態でありました。昨日の日焼けもなんのその、藪蚊にくわれたところをぽりぽりかきつつ、思案投げ首。

「買いましょ、ぱっと買いましょ」と、煽るのがハカセ阿部氏であります。

「阿部さんは買わないの？」

「僕は反物買っていっても、プレゼントするあてが無いですよ」

関係各位に念のため申し上げますと、ハカセ阿部氏独身、つい最近マンションを購入、高給優遇、得意な料理はカレー、お風呂のカビとりも上手と、結婚の準備は整っております。

「あてができたときのために備えて……」

「でも、その『あて』が着物を着る人かどうか判らないでしょ」

大枚の買い物を独りでするのが不安なミヤベ、誰かを引きずり込もうと試みます。こはやっぱり、四人のなかで唯ひとりの所帯持ちのニコライ江木氏だぁよということで、

ターゲットを定めました。

「江木さん江木さん、奥さんに黄八丈の反物お土産に買っていきなよ」

「うちの家内は着物を着ないですから」

「だけどさ、もうすぐ必要になるよ。お宮参りで」

ニョライ江木氏の奥様は現在身重なのです。元気な赤ちゃんの誕生を待つばかり。お母さん似の赤ちゃんだといいなあ、と、ミヤベは思っとります。

「お宮参りの着物は、付下げとか紋付きとかいうんじゃないんですか。黄八丈じゃ駄目ですよ」

このごろはいくらか見直されてきた習慣ですが、大島や黄八丈などの着物は、あくまでも普段着なので、正式な場所にはふさわしくないと言われているのです。ミヤベは泥大島とか更紗とか大好きで、何処へでも着て行っちゃうんですけどもね。

「そんなこと言わないでひとつ買っていきなよぉ」

「なにを営業やってるんですか」

この日訪ねたもうひとつの織元では、高機を据えてある仕事場まで通して、制作途中の反物も見せてくださいました。ご主人のお話では、この黄八丈の織り手も年々数が減っており、特に、島出身の若い女性たちの手が足りないのだということでした。島にお「ここで織り子をしている人たちも、むしろ外から来た人の方が多いんですよ。島にお

嫁に来て、それから織り子になるんです」

ミヤベもやってみたいなあと思いました。高機の前に座らせてもらって、記念写真を一枚パチリ。そうしているあいだにも、頭はふわふわと反物のことを考えています。

「島の風習では、若い者が結婚するとき、黄八丈のカバーをつけた布団とか、黄八丈で仕立てた綿入れとかを、親が用意して新婚夫婦に持たせたものなんです」

「ほら江木さん、赤ちゃんのために黄八丈の布団」

すると織元のご主人は笑って、

「いえいえ、黄八丈の布団は、日常に使えるものじゃありませんよ」

「そら見なさい。それでミヤベさん、買うんですか買わないんですか、早く決めてください」「さいよ」

さんざん迷った挙げ句、とうとう一反買い求めました。黄色と灰色の縞が粋な、渋い柄です。あまりの嬉しさに、その場でひとしきり「買っちゃった踊り」を舞うミヤベ。

さぬきうどん土居氏は写真撮らなかったと思いますが、もしも撮ってたらネガごと没収いたします。興味のある方のために申し添えますと、東京の呉服屋さんで買うよりも、平均して十万から十五万円ほど安いそうです。飛行機代を引いても、お得ですよ。本場ですもの、八丈島へ行ったら黄八丈を買いましょうよね。

まるっきりバカンスしてしまった今回の旅。我ら一同、次の機会には斬首覚悟（ざんしゅ）ということで遊んで参りました。この冬のお徒歩は、さだめし、格別過酷なスケジュールになることでしょう。でもいいんだ、黄八丈を買えたから。

喜びに浮かれつつ、仕立て代が大変だと思うミヤベ。次にお目にかかるときには、着物もできあがっていることでしょう。

では、再見（ツァイチェン）！

※ **参考文献**

『増補四訂　八丈島流人銘々伝』葛西重雄・吉田貫三（第一書房）

注釈、講釈、後日談

其ノ伍

① オリンピック観戦【おりんぴっく・かんせん】 アトランタ・オリンピックのこと。アメリカ南部のアトランタと日本の時差は、十三時間。昼と夜がひっくり返っています。

② 水洗トイレ【すいせん・といれ】 柄にもなくお上品ぶっているわけではないのですが、以前、某所の某神社に取材に行った際、落とし式トイレの便座がとっても大きく、あやうく足を踏み外して落下しそうになったことがありまして……。同行していた編集者に、素手で救助はできないから、次からは命綱を着けてくださいと懇願されました。

③ 自主缶詰【じしゅ・かんづめ】 自分の机を離れると一行も書けないという難儀な体質なので、ミヤベは今までホテルなどで缶詰になった経験が一度もありません。リッチな感じがするので憧れてるんですが、仕事が進まないのじゃ意味ないですもんね。ここで言っている "自主缶詰" というのは、半月なら半月のあいだ、特定の仕事だけするために仕事場にこもって、電話もぜんぶ大沢オフィスの方に回してもらうという、とても簡便な方式のことです。近年の長編作品の仕上げの部分は、ほとんどすべて、

この方式で集中的に書きました。だけど家にこもりっきりだと退屈なので、結局自分からあっちこっちへ電話をかけたり出歩いたりしちゃうんですよ。「自主缶詰のはずなのに、どうして新作映画の話をしてるんですか？」と突っ込まれ、バレバレになったことも……。

④ ひょっこりひょうたん島【ひょっこり・ひょうたん・じま】

写真提供・日本放送協会（NHK）ちなみに「博士」は左から三人目のメガネのヒト。

⑤ 三宅島側の言い分【いいぶん】 「それは、三宅島の名誉にかかわることですね。ちゃんとお調べし、お答えいたします」(三宅支庁)。数日後、廣瀬芳さん(三宅村立阿古中学の教頭先生)から、資料（『伊豆七島流人史』大隅三好著・雄山閣）のコピーを添えて、お便りをいただきまし

た。それによりますと、八丈島の流人が三宅島で"途中下車"、"長期滞在"となったのは、まずいったん必ず三宅島の島守に引き渡す決まりになっていたこと、また海がしけるため、三宅島から八丈島へ渡れる日は良くて月に三日、たとえ荒波を乗り切り八丈島に近づけたとしても、舟を乗り入れるのが困難だったから、とか。

三宅島は自分たちの抱える流人の世話だけで手一杯なのに、いずれ島から出て行く、またいつ出て行くかわからない、よその流人には、どうしても"よそよそしく"、八丈島行きの流人もすんで三宅島のムラ社会に溶け込もうとしなかったそうです。「たしかに八丈島行きの流人にとって三宅島での滞在はつらいものがあったようですが、資料の通り、三宅島の住民の質や行動に問題があったというより、システム自体に問題があったように思います」(廣瀬さん)。

廣瀬さん、どうもありがとうございます。

⑥ あそこ寿司【あそこ・ずし】この店の絶品は、太刀魚のツ

⑦ パチパチと写真【ぱちぱち】

ケ(醤油づけ)であります。

⑧ 結婚の準備【けっこん・の・じゅんび】ハカセ阿部氏、「お徒歩日記」のシリーズ終了前に、めでたく妻帯者となられます。実は、氏は生涯の伴侶を得たとほとんど同時に新潮社を離れ、新しい人生へと船出したのですが、結局移籍先でもすぐにミヤベの本をつくることになってしまったという気の毒なヒトであります。まことこの世は、因果はめぐる糸車。

⑨ 赤ちゃんの誕生【あかちゃん・の・たんじょう】このお徒歩から五カ月後、ニコライ江木家に、めでたくもお世継ぎサマが誕生しました。男の子でありました。また、めでたくもお母さんに似ているとの由。よかったよかった。

⑩ 買っちゃった踊り【かっちゃった・おどり】心優しきカメラマン、さぬきうどん土居はシャッターを切らなかったため、ニコライ江木が、ご説明いたします。逡巡すること一時間余。ようやくお買い上げになったミヤベ先生、同行者の制止を聞かず、店員さんの困惑もものともせず、「買っちゃった! 買っちゃった——」と連呼し、摩訶不思議なダンスを舞われました。その踊りたるや……きっと出自も由緒もさだかならぬものにて、強いて申し上げるならコサックダンスと阿波踊りとランバダを足して三で割ったようなものでした。

其ノ六

七不思議で七転八倒

平成九年五月十三日

隅田川

北十間川

横十間川

馬鹿囃子
送り提灯

足洗い屋敷
（旧・本所三笠町）

厩橋

落葉なしの椎
（松浦家跡）

蔵前橋

隅田川テラス
相撲のきまり手・
組み手のレリーフ

御蔵橋跡

旧御蔵町

消えずの行灯
（南割下水跡・
北斎通り）

葛飾北斎生誕地の標識

置いてけ堀
その一

置いてけ堀
その三

両国橋

江戸時代への堀

国技館

両国駅

東京都博物館

錦糸町駅

亀戸駅

文

貨物線路

回向院
卍

竪川

津軽の太鼓
（東軽継中屋敷跡）

置いてけ堀 その二

第三亀戸中学校

百里道路跡

江戸時代の両国橋

割上搜跡

片葉の芦

墳道通り

三ツ目通り

大横川

小名木川

江戸時代の
新大橋

新大橋

伊勢崎

万年橋

深川江戸資料館

高橋

清澄
庭園

0   500 m   1 km

皆々さま、お久しぶりでございます。いろいろと不可解で恐ろしく、怒りや不安ばかりを募らせる出来事の多い昨今でありますが、ご健勝にお過ごしであらあらあらせられますか。①

この口上を目にし、

「あれ、おかしいな、今はお徒歩日記の季節じゃないでしょう」

あるいは、

「そういえば、今年の正月明けの小説新潮に、毎度オチャラカシのお徒歩日記が載ってなかったな……」

と思うアナタはお徒歩の通！

一年に二度、猛暑と寒波の時期ばかりを選んで、ミヤベミユキとその新潮社担当一行が泣き泣き全国を彷徨するというご無体な企画も、今年で四年目に突入したのでありま

すが、その記念すべき四年目のとっ始め、本年一月のお徒歩日記が、ほかでもないミヤ

べの急病のためにフッ飛んでしまったのであります。

「アンタもよく病気する人だねえ……」

と嘆息したアナタは、実に記憶力の優れた方です。そう、そもそもお徒歩日記の企画

は、歩いて歩いてミヤべの腎臓結石を治そう！　という意図の下に始まった

のでした（そうじゃない！　という声も聞こえてきますが無視します）。

ご説明いたしますと、忘れもしない昨年十月の中旬、いきなり高熱を発し咳の発作が

始まり、頭はもう割れるよう。季節はずれのインフルエンザかと思いきや、お医者さま

の診断によると「マイコプラズマ肺炎」という代物である由。

「肺炎！」

認識した途端になおさら症状が重くなったように感じられましたでございますよ。

まあ、診断がつけば、あとは安静にして投薬を受けるだけなのでありますが、ミヤべ

にはアレルギーがあって使うことのできない抗生物質があったりして、結局一ヵ月ほど

療養を余儀なくされ、それでも咳と微熱の後遺症がしつこくしつこく正月明けまで続く

――という次第でありました。本当の健康体に戻れたのは、梅の花を見る頃になってか

らのことです。いやあ、感染性の病気はまことにまことに手強いものです。

ところでこの「マイコプラズマ症」なるもの、別名を「オリンピック病」とも呼ばれ

ており、どういうわけか四年に一度、オリンピックの開催される年に大流行するという
クセを持っているのだそうです。そのせいかどうかはいざ知らず、年明けにはナント、
ミヤベの仲良し作家の北村薫さんがこの流行病にかかってしまわれました。
　幸い、ミヤベよりも行い正しい北村さんの健康回復は比較的早く、二月十日には一緒
に新潮社の文化講演会でトークショウもやらせていただいたのですが、当時の北村さん
とミヤベのあいだでは、

「北村さんのマイコちゃんは、近頃はいい子にしてますか？」
「ミヤベさんのマイコちゃんはまだ暴れているようですねぇ」

という会話が頻繁に交わされていたのであります。
　さて。こんな次第で、結局決行することのできなかった今年正月明けのお徒歩が、夏
場の今の時期にまでズレこんでしまったわけでありますが、計画自体は昨年暮れ、ミヤ
べがまだゴホゴホやっているうちに、担当ニコライ江木氏と相談してつくりあげてあり
ました。オニのニコライ江木氏にも仏心（ほとけごころ）まるで無きわけにはあらず（オニはおまえの方
だぁ！　と本人は編集部で叫んでいるようですが無視しましょう）、

「病後のお徒歩ですから、なるべく楽なコースにしましょう」

とのご提案があり、さすれば――と決まったのが、今回の企画です。
　題して、本所（ほんじょ）七不思議の今と昔。

（断じてミヤベの本の宣伝をもくろんでるわけじゃありませんよ、『本所深川ふしぎ草紙』なんてタイトル公言してないでしょ？　親本は新人物往来社で、新潮文庫にも入ってますからヨロシクなんて、どこにも書いてないでしょ？）

でも、親本も文庫もそれぞれに装丁が素敵なので、ぜひ見てみてくださいね。

では、出発！

1　そも本所七不思議とは何ぞや

どこそこの七不思議、なんとかの七不思議と、ある場所や地域、建物や人物にまつわる謎めいた事実を集めたり創作したりして語り伝える──という習慣を、わたしたち日本人は、いつどこで獲得したのでしょうか。ひょっとするとこれが、「物語をつくり、それを周りの人たちに語って聞かせる」という事の原始的な形のひとつだったかもしれません。縄文人の家族が、わたしらが瓶をつくるための土を集めるあの山には不思議なことが七つあってな──などと話し合っていたかと想像すると、ちょっと面白いですよね。

語られることとによって伝えられるという伝承の常で、本所七不思議にも確たる「定

説』はありません。成立時期もはっきりとは特定できません。墨田区区長室発行の『す
みだむかしばなし』によりますと、東京にある七不思議の成立時期は江戸末期と見て間
違いないそうですが、もちろんこれとて江戸末期のある日に突然「成立！」と産声をあ
げたという意味ではないですね。未定型の噂話としては、もっともっと早い時期から流
布していたと考えていいでしょう。

七不思議の内容そのものも、聞き伝え語り伝えられていくあいだに「七つ」の内容が
入れ替わったり、重複してしまったりしています。そこでここでは、ミヤベが「本所七
不思議」として意識していた七つをあげてみます。

『置いてけ堀』

　本所のとある堀で釣りをすると、それはそれはたくさん魚が釣れるのですが、釣果を
得てさあ帰ろうとすると、堀の底の方から「置いてけ……置いてけ……」と呼びか
ける声が聞こえてくる。ぎょっとして足がすくんでしまい、逃げようとしても滑ったり
転んだり。ほうほうのていでやっと逃げだし、ふと気がつくと魚籠の中身は空っぽ──
というお話です。おそらく、本所七不思議のなかで最もよく知られたお話で、昔、「ま
んが日本むかしばなし」のなかで、この話と小泉八雲の『むじな』を組み合わせたなか
なか怖い一話が放映されたことがあったくらいです。

ところで、「ヤダ、あたしだけ置いてけぼりにしないでよ！」などというときの「置いてけぼり」の語源も、たぶんここにあるのでしょう。ということは、この手の「置いてけ」話のいろいろなバリエーションは、本所だけでなく、日本中に存在しているのではないでしょうか。

『馬鹿囃子』

秋（他の説では冬枯れの頃）の夜、どこからともなく祭のお囃子の音やにぎやかな人声が風に乗って聞こえてくる。どこから聞こえてくるのかと確かめようと外に出て、お囃子の音を追いかけてゆくと、追えば追うほどに音は遠くなってゆき、あたかも追跡するものをからかうかのよう。そして、とうとうあきらめてふと気がつくと、とんでもない時刻になっており、とんでもない場所にまで来てしまっている。

なおこの話を『狸囃子』と呼び、要するに狸にばかされたのだと結んでいるバージョンもあります。余談ですが、ミヤベが子供の頃に、父から教えてもらった限りでは、キツネはお稲荷さんの遣い魔をするくらいに頭がいいから、人間を騙して遠くへ連れ出すときにも、騙した人間の手を引いて行く。だから危険な場所には行かない。だけどタヌキはおバカなので、騙した人の後ろから背中を押して連れてゆくので、危ない場所に行ってしまうということです。タヌキ君の弁明や如何に。

『送り提灯』

本所あたりで夜更けにひとりで外を歩いていると、遥か前方にぽつんと提灯の明かりが見える。誰か人がいるんだろうと思って気にせず歩いてゆくと、どこまで行っても同じくらい先にその提灯の明かりが見える。あたかも自分を送ってくれているようだが、追いつこうと足を早めても追いつけず、提灯を持っているものの正体も判らず、なんとも薄気味悪いなぁというお話。しかし現代だと、ひとり暮らしの女子大生やOLの皆さんには心強いエスコート提灯に――なりませんかね。

『落ち葉なしの椎』

隅田川（当時では大川ですね）沿いにあった松浦家という武家屋敷の庭に大きな椎の木があったが、この木はどんなときでも一枚の葉も落とそしたことがないという奇妙な木であった。それで松浦家のこの屋敷はすっかり有名になり、「椎の木屋敷」と呼ばれるようになりました――というお話。

椎の木は落葉樹ではないので、もともと落葉は少ないのですが、「どんなときでも、一枚も葉が落ちない」というところがこの話のミソでしょう。

『足洗い屋敷』

本所三笠町（現在の墨田区亀沢町あたり）の旗本屋敷で、毎夜丑三つ時になると、屋敷全体がミシミシと家鳴りし、やがて天井を破って巨大な足が突き出してくる。この足がひどく汚れており、天井の上の方から、「洗え、洗え」と命じる声が聞こえてくる。言われたとおりにきれいに洗ってやると、足はおとなしく引っ込むが、翌日の丑三つ時になるとまた同じことが起こる。困り果てたこの旗本が屋敷替えをすると、この怪現象はぴたりとおさまった――とのこと。

ミヤベが耳で伝え聞いたこの話の別バージョンでは舞台は商家で、洗え洗えと天井を破ってくる足が現れなくなったら、家運が傾いて一家離散してしまったというオチがついていました。どうやら「座敷わらし」の話とごっちゃになっちゃってるみたいですが、これが口承説話の面白いところです。

『消えずの行灯』

本所南割下水のあたり（現在の錦糸町駅北側）に夜鳴きそばの屋台が出ているのだが、ごく当たり前の屋台でありながら、いつ行っても誰もおらず、明かりだけが煌々と点いていて、油切れもしないのかいっこうに消える気配もない。不思議だ――というだけの、わりとツマンナイ話。別口に、誰もいない屋台で明かりも消えているので、通りかかっ

た親切な人が明かりを点けてやるのだが、点けても点けても消えてしまい、せっかく親切に火を点けてあげたその通行人の家には、必ず災いが降りかかるという、恩知らずバージョンとも言うべき話もあります。それとも、触らぬ神に祟りなしバージョンというべきかな。

ちなみに、ミヤベが「消えない行灯タイプの話は、江戸時代にすでにフリーエネルギーが開発されていた証拠だ！」と言い出しますと、トンデモナイ奴として小説新潮の編集部で百敲きになるわけであります。

『片葉の芦』

大川にかかる大橋（現在の両国橋のことですが、かかっている位置は違います）の北側に駒止堀という小さな堀があった。この堀の岸に生える芦は、どういうわけか葉が茎の片側にしか出ておらず、不思議であった――というお話。ミヤベが知っているのはここまでなのですが、前述の『すみだむかしばなし』には、なぜ片葉の芦になったかという理由として、因縁話が添えられています。

その昔、横網に（この地名は現在も残っています）留蔵というならず者がいて、三笠町のお駒という娘に惚れていた。しかしお駒は彼になびかず、怒った留蔵は可愛さ余ってにくさ百倍、お駒を殺し、手足をバラバラにして駒止堀に投げ込んだ。以来、ここに

生える芦はみんな片葉になってしまった。

ミヤベの持っている本所深川切絵図にもこの駒止堀は記載されており、そのそばに小

さく「片バ堀」と書いてあります。

『津軽の太鼓』

几帳面な方は、「あれ、これで八つ目の話だよ」と気づかれるでしょう。そのとおり

でして、この『津軽の太鼓』というお話は、『足洗い屋敷』や『落ち葉なしの椎』と入

れ替わって七不思議に数えあげられることのある、言ってみれば代打の話です。そのせ

いか地味な内容で、南割下水南側にあった津軽越中守のお屋敷では、火の見櫓で板木

（木の板を叩いて大きな音を出し、急を知らせる仕掛け）を使わず、太鼓をぶら下げて

使用していた。大名屋敷はみな板木を使うものなのに、津軽さまだけは不思議なことよ

──というだけのお話。

お殿様が太鼓好きだったんじゃないのかな？

そういう単純な説は駄目かしら。

と、七プラス一の話を並べてみました。皆さんのお住まいの土地や地域の七不思議と

比べてみるのも一興だと思いますよ。

さて、今回のお徒歩隊は、これらのエピソードの舞台となった場所を回って歩いたわ

けですが、最初に白状しておきますと、これらをぐるっと回っても、距離にするとほん
の数キロ。感じとしては、JR線の両国駅から錦糸町駅を通って亀戸駅の手前まで行く
——というぐらいの道のりなのです。ニコライ江木氏が計画立案時に「ミヤベさん病後
だから」と言ったのも、このためであります。

お徒歩実施は、五月の十三日でした。風薫る五月であります。おお、麗しの五月！
今までクソ暑い七月や木枯らし吹きまくりの十二月に歩き回っていたお徒歩隊に、恵み
のさわやかな季節が訪れたのです！　しかも近距離とあって、一同お気楽極楽遠足気分。
ま、楽勝よ！　なんて言って当日集合しましたら——

雨だったんだよ、これが。

　　　2　お徒歩隊新編成

「傘は役に立たないですね」
「雨合羽がいるね、この風雨じゃ」
「今まで、暑かったり寒かったりしたけど、雨だけは降られたこと無かったよね、お徒
歩のとき」

話しておりました。

「この雨、誰のせい？」

本所回向院横のデニーズに集合したお徒歩隊は、窓の外をながめながら陰気な顔で会

醜い罪のなすりあいに、ギセイシャとなったのは今回初参加のおふたり。文庫の長谷

川さんと出版部の田中さん。ふたりとも、人事異動でミヤベの担当となり、お徒歩に苦

力部隊として召集されることになってしまったフシアワセな若者たちであります。お徒

歩隊結成時から活躍してくれた前出版部担当の庖丁人中村氏は週刊新潮に異動、文庫担

当のハカセ阿部氏は他の会社に転職。ついに、ミヤベの放った乱波は他社にまで進出し

たのであります！（と言いふらしていたらニコライ江木氏に後ろからナグられました。

編集長、ニコライ江木氏もそろそろ異動したいそうです）

実を言えば、雨は新参のおふたりのせいではない。ミヤベこそが大雨女なのでありま

す。これはミステリー界では有名なジンクスなのです。しかしミヤベ、黙ってランチを

食して何も知らんもんねという顔をしておりました。

「でも、七不思議という魔について取材するんだから、荒天でも仕方ないかもしれない

よ」と、言っているニコライ江木氏。この春、一児のパパになったので、ちょっとおと

なびてきた氏であります。

「しかしこうなると、効率的に回る必要がありますね」と、最年少の長谷川さん[3]。日頃

ミヤベとは仕事そっちのけでテレビゲームの話で盛り上がっている氏でありますが、初参加に張り切っております。

「東から西に向かうか、西から東に向かうかということですね」と言うのは出版部の田中さん。

「どっちでもいいんだけど……今さ、両国駅の構内がビヤホールになってるって知ってる?」

「え、ホントですか?」

「地ビールが飲めるんだよ」

「そうすると、ゴールは両国駅にしたいですねえ!」

「もっと亀戸寄りに集合すりゃよかったな」

「でも、全体に大した距離じゃないからさ、亀戸の『置いてけ堀』まで行って、そこから引き返してきて両国でゴールはどう?」

「そうすると、お徒歩の面目が立つくらいの距離を歩くことにもなりますよね」

「地ビールか、いいなあ!」

「編集長には内緒でさ」

ここでランチを食し終えたミヤベがふと外を見ると、雨が止んでいました。

「あ、止んだ!　急いで出発しましょう!」

どやどやと外へ出る一同。終始無言でてきぱきとしているのは、若手カメラマンのさ
ぬきうどん土居氏であります。

それにしても、この四年、こんないい加減な団体行動を、あの几帳面な新潮社が許し
てくれて、しかも資金まで出してくれてきたなんて、最大の不思議だと思うミヤベなの
であります。

3　片葉の芦から落ち葉なしの椎へ

隅田川護岸が美しい散歩道へと生まれ変わり、川の水も昔とは比べようもないくらい
にきれいになったということについては、以前にもお伝えした通りです。しかし、古地
図と墨田区の地図をぶつけてたどりついた駒止堀あたりには、現在はお堀の影もありま
せん。駐車場になっていました。両国橋を間近に望むこの場所は、墨田区のなかでも都
心の匂いがぷんぷんするところで、見渡せば周囲はビルばかり。

ところが、川のコンクリートの土手沿いに、一カ所だけこんもりと緑の繁っているポ
イントがあるのです。

「あれ、なんだろ」

関係者以外立入禁止の駐車場を苦労して回り込み、近づいてみると、緑の茂みの内側には、お稲荷さんが鎮座していました。石造りのおキツネさんの顔などを見ると、かなり古いもののようですが、鳥居の朱の色は真新しい。境内もきれいに掃除されています。

「どこが管理してるんでしょうね」

近くには、ひときわ目立つ大正ロマン風の建物がひとつあり、ガラス張りの窓から内側をのぞくと、そのままNHK朝の連続テレビ小説のセットに使うことができそうな内装の室内で、美人の事務員さんが立ち働いていました。

「ゆかしい会社だから、ひょっとするとあのお稲荷さんもこの会社が管理してるのかも」

「だとすると、ぴったりだよね」

「大沢オフィスも、こういう建物が欲しいな」と、闇雲にねだるミヤベ。「買ってくれないかなぁ」

なんといっても、大沢オフィスでは現在、天下の大沢在昌さんと京極夏彦さんを抱えているのです。両国橋から東側にあるビルのひとつやふたつ、買おうと思えば軽いもんだぁ！　とか言ったりしまして。

と、京極さんの名前を出したところで、京極さんのいわゆる「京極堂シリーズ」⑤第五作の『絡新婦の理』のなかに、七不思議について語られている部分があることを思い出

しました。謎解きも大詰めに向かうところで、京極堂が登場人物のひとりの女学生と、事件の舞台となった女学校に伝わる七不思議について教えてくれないか——と会話するくだりであります。

ここで京極堂は、女子学生から話を聞き、彼女の数え上げた話を受けて、

「——不思議は本来その六つだろう」（つまり、ひとつは数あわせのために付け足された話であるという意味）

すると居合わせた刑事が、「不思議と云えば普通七つでしょう？」と尋ね、それに答えて、「七を特別視する習慣は、多分そう古いものじゃないんだよ。幾つだっていいのだ」と説明を始めます。

詳しく引用するには、『絡新婦の理』の筋書きも説明しなくてはならないのでこの辺でやめておきますが、未読の方はこのお徒歩を読んだら、すぐに書店に走るべし。非常に知的に刺激的な作品でありますから、日ごろ小説は読まんのだという方でも、七不思議のくだりだけでも読むべし、読むべし。

『片葉の芦』の因縁話が本当だとしても、このあたりに芦が生えなくなった頃には、お駒の怨念もどこかへ逃げ出してしまっただろうね……と言いつつ、お徒歩隊は隅田川東岸を北へと向かいました。横網町の『落ち葉なしの椎』に向かう——つまり、現在の国技館方面へと足を向けたわけです。

国技館と言えば大相撲。隅田川護岸のこの道で、お相撲に関する面白いものを見つけました。歩きやすいように整備された遊歩道に、お相撲の決まり手四十八手のようなものがレリーフにして刻まれているのです。ふたりの力士が組み合っている様を描いて、そこに技の名前を解説してある、という判りやすく楽しい絵柄なのですが、しかし、ここにも新たな謎が。

「この技の名前、珍しいですね」

「なんか、聞いたことないようなものばっかりだよねぇ」

なるほど、お相撲には暗いミヤベでも、「おおわたし」「かものいれくび」など、『大相撲ダイジェスト』でも耳にしたことないような技の名前が散見されることに気づきました。

「これ……裏四十八手じゃないんですかね」

「やっちゃいけない技？」

「だけど、わざわざそんな技のレリーフつくるかなぁ」

がやがやと頭をひねり、結局この四十八手は現代のそれではなく、古文献に載せられている昔の技ではないかという結論に達しました。お相撲の歴史に詳しい方に、ご教授⑥願えましたら幸いです。それに皆さん、ぜひとも現物を見てみてください。かなり笑える技もあったりします。

今回の企画の寂しいところは、なにしろテーマが民間伝承なので、たとえば赤穂浪士の引き上げ道をたどったときのような、物的歴史証拠に乏しいことです。どこに『落ち葉なしの椎』の記念碑が立っているわけではなく、どこに『片葉の芦』の絵があるわけでもない。淡々と歩きつつ、古地図に目を落として位置を確認するしかありません。

「僕はこちらの方を歩くのは初めてなんですが、古地図と今の地図と、道筋や町割りがほとんど変わっていませんね」

感心したように言ったのは、死海文書タナカ氏であります。

「堀割は埋め立てられてしまったところもあるようですが、痕跡をたどることはできるから、位置関係は簡単につかめるでしょう。東京大空襲で丸焼けになった土地なのに、よく町並みを残したもんですね」

本所深川は、江戸時代には新開地でありました。「江戸」として朱引きの内に組み入れられた（江戸町奉行所が管轄地として認めた）のも、江戸の中期以降のことです。つまり、もともと江戸城の城下町ではなかったので、城下町独特の放射状の町づくりをする必要はなく、水路を利用した交通の便を第一に考えたので、結果として方眼紙を敷き詰めたような町となったわけです。これが幸いして、現在でも町並みが変わっていないという次第。タクシーの運転手さんに聞くと、新米のころ、本所深川（現在の墨田区南部と江東区北部）ばかりを走ってこの道筋に慣れてしまうと、山手線の内側や杉並・世

四十八手か、裏四十八手か。
謎、また謎。謎つづきの道中なり。

田谷・目黒などの放射状道路（もとは農道という場所もある）の町並みへ行ったとき、たいへん苦労をするそうです。

国技館の前を通り過ぎ、椎の木屋敷の場所を確認したお徒歩隊は、一軒の鯛焼屋さんを発見。なぜか「浪花屋」というこのお店の美味な鯛焼を歩きながら食し、東へと頭を向けました。

　　4　置いてけ堀はどこだ

「まっすぐ東へ進むと、『津軽の太鼓』の津軽越中守のお屋敷に出るんですけどね……」

墨田区緑町のあたりですが、両国駅と錦糸町駅のちょうど真ん中です。

「途中に、『置いてけ堀』の第一候補地点があるんですよ」

「第一候補？」

「ええ。ここに『置いてけ堀』が在ったと言い伝えられている場所は、僕が調べた限りでも三カ所あるんです」

ミヤベ、ちょっと憮然。

「あたしは、『置いてけ堀』は錦糸堀だって教えられて育ったんだよ」

「でも、定説じゃないでしょ」

「イカガワシさでは錦糸堀がいちばんだよ」

「そのイカガワシさは錦糸堀がいちばんだよ」

「うぅん、歓楽街的イカガワシさ」

錦糸堀は、現在の錦糸町駅からわずかに南側で、位置的には駅前のスナック街に該当します。フィリピンパブもあれば学生向きの居酒屋もあり、キャッチバーみたいなデンジャラスな雰囲気の看板も見えるという、ささやかな混沌。バブルで景気がよかった頃、錦糸町駅前を歩いていると、よくフィリピーナの女の子から、切符の買い方を教えてくれと声をかけられたものでした。最近は、彼女たちの数もすっかり減ってしまったですけどね。

ところで、東へ向かう我々が歩いた道は、別名「北斎通り」といいます。江戸東京博物館のあたりを出発点に、錦糸町駅北口の再開発地域をゴールに、総武線の北側を線路に沿って通じている道ですが、これがなかなか美しい道筋で、コパカバーナ長谷川氏とミヤベはしきりに「この辺に住まいを……」「この辺に仕事場を……」などと呟き、折から分譲中のマンションのモデルルームまでのぞいてきてしまいました。「北斎通り」の命名の由来は、もちろん、江戸東京博物館のあたりが葛飾北斎生誕の地であるからです
が、この博物館から真っ直ぐ南へ、清澄通りをくだってゆくと、深川江戸資料館や清澄

庭園、桜鍋の「みの家」、どぜう鍋の「伊せ喜」と、はとバスのコースにもなっている「江戸と下町の文化」遊覧の散歩道となりますので、こちらもお試しを。

先ほどから何度も登場している本所南割下水も、古地図で見ると総武線の北側を東西に走っています。本所の南側にあるからこの名前がついたのでしょう。『送り提灯』、『消えずの行灯』などの場所をチェックしながら進んでゆきます。ミヤベの子供の頃よりも、町並みがぐんと垢抜けてきていることに驚いたり、ちょっと寂しくなったりしました。

「今回のお徒歩は……」

「まったく、ただのお散歩ですね」

「史跡がないからなあ」

嘆くお徒歩隊に、神は恵みを垂れました。錦糸町駅前を南下しているとき、なんと、

「置いてけ堀」と大書した看板を見つけたのです！

「ホラ、『置いてけ堀』の本場は錦糸堀だっていう証拠だよ！」

この看板、居酒屋のものでした。カッパちゃんの絵が描かれています。さらに、ここから亀戸方向に足を向け、錦糸町駅の東南側にちらりと展開しているホテル街の方へと踏み込みますと、道ばたの歩道の上に、『置いてけ堀』のお話を絵にしたタイルが設置されているのを見つけました。ここでミヤベ、釣り竿と魚籠を持って写真をパチリ。だ

皆様、新潮社はかくもご無体なことをさせたのでありますよ。物的歴史証拠に乏しいお徒歩だった、と申しましても、あまりにむごい仕打ちでございます。一体、お徒歩をなんと心得ておるのでしょうか。

けどね、この辺り普段からウロウロしている場所だから、今にも知り合いに会いそうで、とってもハズカシかったのよ。

ホテル街のなかにぽつりと公園があり、ここには小さな噴水と共に、本所七不思議と『置いてけ堀』について記した（公設の）看板が立っていました。お徒歩隊がここでも写真を撮ったりしていると、「何してるの？」と可愛い声。見ると、黄色い雨よけカバーをかけたランドセルを背負った小学校一、二年生くらいの男の子が立っています。

「写真撮ってるんだよ。ボクも撮ってあげようか」

「うん、撮って！」

ということで、ミヤベはこの坊ちゃんと記念写真を撮りました。ところが、撮影が終わるとこの子、「じゃあねー」と風のように駆け去って、たちまち姿が見えなくなってしまったんです。

「あの子……カッパだったんじゃないですかね」

コパカバーナ長谷川氏が畏怖の表情で呟くのに、ニコライ江木氏は呵々大笑。

「いやあ、下町の子は物怖じしませんねえ、アッハッハ」

ま、事実そうなんだけどね。

この日のお徒歩のゴールは、『置いてけ堀』の三つ目の候補地、亀戸の第三亀戸中学校正門前であります。地元では「三亀中」と呼ばれるこの中学校、白い校舎に緑の校庭

（芝生じゃないよ）、ちょうど正門のところに、下校しようとする制服姿の少女たちが集まっています。

「いや、ここは『置いてけ堀』じゃなかったはずだ！」

少女たちの手前、こんなとこで釣り竿持って写真撮りたくないミヤベは抵抗しました。

「だってここには学校の門があるもん！　お堀があったわけがない！」

「堀は埋められます。その上に門でもなんでも建てられます」と、冷酷なニコライ江木氏。「はい、釣り竿と魚籠持ってポーズつけてください。これで終わりなんだから」

と思ってしまったとしたら、どうする？

「何つまんないこと心配してるんですか。それより、地ビールタイムですよ、地ビール！」

勇躍して飛んでいった両国駅構内の地ビールは、それはそれは冷たくて美味でありました。そのあとにいただいたシャモ鍋もまた美味しくて、毎度のことながらお徒歩はオ

イシイ企画であると、健康を取り戻してシアワセ気分のミヤベでありました。

5　ちょっと蛇足だけれど

さて、ミヤベがこの原稿を書いている現在は、七月一日です。そう、日本中を震撼させた神戸の小学生殺人事件の容疑者として、十四歳の少年が逮捕されてから、まだ数日というところです。

ミヤベは犯罪心理の専門家ではありませんし、教育問題にも詳しくないし、事件の詳細についても、新聞やテレビで知ることしかできません。ですから、この痛ましい事件に関して軽々しい発言をすることはできません。ただ被害者の淳君のご冥福をお祈りし、あわせて、容疑者として警察に身柄を拘束されているこの少年も、可能な限り公正な扱いを受けられるよう、祈るように望むばかりです。

ただ今回、本所七不思議をテーマにお徒歩の原稿を書きつつ、神戸の事件についての報道に接しているうちに、頭に浮かんできたことがひとつあります。それは、各地に流布する「七不思議」も、昔はどこの町にもひとつはあった「お化け屋敷」も、みんな一定の機能を持っていたのではないかということです。

それはどんな機能か。人間と、人間が寄り集まって住む場所には必ず生じる「魔」を吸収し、それを封じるという働きであります。

神戸の事件がまだ解決しない頃、都市論を専門とする大学の先生が、須磨のあの町全体のつくりや、道路と友が丘中学校の位置関係を取り上げて、「美しく、便利で機能的ではあるが、遊びというか、余りの部分がない」と言っておられたことも、思い出されます。幼い子供や思春期の少年少女が関わる事件というと、決まって郊外の新興住宅地や再開発地域を舞台としているようにも思われます。

もし、淳君の遺体が捨てられていたあのタンク山が、住宅地の人びとよりもずっと古くからそこに存在する鎮守の森や、山の神をご神体に祀る神社であったなら、どうだったろう……ミヤベはそんなことを思わずにいられないのです。住民個々の記憶を超えた、土地の歴史と土地の記憶は、そこに入れ替わり立ち替わり出入りし、生きたり死んだり争ったり泣いたり殺したり殺されたりしてきた人間のなかの闇の部分を中和する力を持っています。

とりわけ感じやすく自分を見失いやすい子供たちには、こうした、そこにいけば安心して「魔」を放散することのできる、「魔」を吸収してくれる場所が、どうしても必要なのではないでしょうか。その場所を欠くと同時に、我々日本人は畏怖することを忘れ、目に見えないものを敬うことも忘れ始めたような気がしてなりません。

長々と続けてきたお遊び企画「お徒歩日記」ですが、次回でとうとう最終回を迎えます。蛇足で書いた文章とリンクするみたいですが、最終回では、江戸の民間信仰を集めた聖地を、できるならば複数訪ねて、この目で見てきたいものだと考えております。

どうぞお楽しみに。

其ノ六

① **出来事【できごと】** 五月、神戸市で土師淳君殺害事件、四大証券会社こぞって総会屋に不正な利益を供与し、最高幹部の逮捕や辞任などが相次いだ。

② **理由【りゆう】** 『牧野新日本植物図鑑』によりますと、芦の葉は二列に互生する（葉が茎の一節から一枚ずつ互い違いに生える）ものなのですが、その場所の風向きによっては、葉が片側に寄ってしまい、その結果片葉の芦になることがあるのだそうです。それでも、昔の人びとがこういう自然の不思議を解釈するために創造した話は、やっぱり面白いものですね。

③ **長谷川さん【はせがわ・さん】** ところでこの長谷川さん、カラオケがめちゃめちゃ上手いのです。平成九年十二月、ミヤベが『蒲生邸事件』という作品で日本SF大賞をいただき、あまりの嬉しさに、授賞パーティのあと、二次会代わりに大勢で夜通しカラオケを歌いまくったことがありました。その際、ミヤベがちょっと席を外して戻ってきてみると、誰かが「コパカバーナ」を熱唱しており、おお、誰だろう？ と見ると長谷川さん。以後、

コパカバーナ長谷川と命名。ちなみに、ジプシー・キングスの「ジョビ・ジョバ」も歌えるぞです。恐るべし。

④ **田中さん【たなか・さん】** 田中さんは出版部でこそ初めてですが、週刊新潮時代には、読切時代小説のページでミヤベを担当してくれたことがあります。それで、そういう仕事の積み重ねがあるからこそバクロしますとですね、このヒト、それは字が汚いのです。ファックスを送ってもらっても、こちらから電話をかけなおして、「これ、何て書いてあるの？」と訊かなきゃならないんだから。そこで死海文書タナカと命名。向かうところ敵ナシの判読不能。「この世には不思議なことは何もない」が決め台詞。

⑤ **京極堂シリーズ【きょうごくどう・しりーず】** 古書店「京極堂」を営み、神主でもある中禅寺秋彦が、次々と怪事件に挑む大人気シリーズ。「この世には不思議なことは何もない」が決め手。

⑥ **お相撲【おすもう】** このレリーフ、江戸時代は元禄年間の『相撲図式』をもとに墨田区が相撲博物館の協力を得て、つくったものだそうです。「おおわたし」は決まり手。「かものいれくび」は組み手、あるいは型といい、その後にいくつかの技や決まり手に変化、発展するもの。よく四十八手といわれますが、日本相撲協会によれば、いま決まり手は七十手、これに勇み足と腰くだけの"自滅"

を加え、実は七十二手もあるとのことです。

⑦ **坊ちゃん【ぼっちゃん】** お徒歩日記 其ノ六の最初の頁に入っている写真が、そのときにお撮りしたものです。風のように消え去ったボク、一部で「あの子はカッパだったのでは……」と疑惑が浮んでおりますよ。もしこの写真を見て、我こそは黄色い雨よけカバーをかけたランドセルの坊ちゃんなり、とお気づきになりましたら、新潮社にご連絡下さい。

⑧ **釣り竿と魚籠【つりざお・と・びく】**

まったく、しょうもねえな、ですよね。読者諸賢はすでにもう一つの謎にお気づきかと存じますが、だいたい、どうして釣り竿と魚籠なんてものが今回のお徒歩の七つ道具に入っていたか、でありますよ。

⑨ **十四歳の少年【じゅうよんさい・の・しょうねん】** 神戸市須磨区で平成九年二月から五月にかけて児童五人が殺傷された。五月二十七日早朝、行方不明になっていた小学六年の男の子の切断された頭部が、「酒鬼薔薇聖斗」の名前で書かれた警察などへの挑戦状とともに中学校の正門前に放置。六月二十八日、兵庫県警は中学三年の男子生徒(当時、十四歳)を淳君殺害の容疑者として逮捕した。

其ノ七

神仏混淆で大団円

平成九年十月二十一、二十二、二十三日

1　あいかわらずの、長い前振り

皆様、お久しぶりでございます。①不景気は続くわ公共料金はあがるわ②新型インフルエ③ンザは発生するわ暖冬少雪でスキー場は困るわという昨今ではありますが、お元気にお過ごしでしょうか。

はるばると長旅をして参りました平成お徒歩日記でありますが、ついに今回で最終回を迎えることになりました。おお！　よくもまあ、歩きに歩いたものよ！　とはいえ、基本的にはミヤベの個人的好奇心から始まった企画でありますので、実に面白おかしゅうございました。美味しいものもたくさん食べられましたし。

さて、最終回ではどこをお徒歩しようか──というのは、前回の本所七不思議めぐりをしているころからの、ミヤベと担当ニコライ江木氏との懸案でありました。ラストを飾るにふさわしく、お徒歩甲斐（ヘンな言葉ですけど、気持ちとしてはこれ、ホント）に満ちたルートはどこぞや？

そんなミヤベのところに、担当ニコライ江木氏が満面に笑みをたたえつつ、

「お徒歩最終回のコースを考えたんですが」

と、持ちかけてきたのが昨年の春まだ浅いころのことでした。

「あらま。どこですか？」と、平静を装い問いかけるミヤベ。

ニコライ江木氏、にんまり。「⑤山田長政はどうでしょうね？」

「へ？」

「ですから、シャムへ渡るんですよ。海外です、海外！」

「シャムって、どこ？」

「まあ、現在のタイですね。若い女性にも人気の渡航先ですよ。バンコクは面白いし、美しいリゾート地もあります。まあ、お徒歩企画ではミヤベさんにずいぶんご無理を言いましたから、ラストぐらい、取材の名目でちょっとのんびり観光していただこうじゃないかと、編集長も申しております」

ニコニコ顔のニコライ江木氏をじいっと見つめ、ミヤベは目をぱちぱち。

「どうですか？　スケジュールさえ調整できれば、四泊か五泊で――」

「ヤダ」

「お徒歩と言っても、歩くところはほとんどないんですよ、山田長政はまあ名目

「で――」

「ヤダよ」

「パタヤ・ビーチはきれいですよ。リゾートホテルもいいところが——」

「イヤだってば！」

「パタヤじゃないですよ、パタヤです」

「嫌だって言ってるのよ！　ミヤベ海外です」

「ようやく、ニコライ江木氏楽しい夢からさめて正気に戻りました。

「スミマセン、今なんて言ったんですか？」

「海外には、行かない」

ニコライ江木氏、両手で鬼の首をつかんだような顔をしました。「ミヤベさん、海外

旅行するのが怖いんですか？」

フーンだ。「違うよ。海外旅行は怖くないの」

「じゃ、何が怖いんです？　飛行機ですか？」

「しょうがない、白状するか。「……異人さん」

「は？」

「異人さん怖いんだもん」

「フォーマルウエアのメーカーですか？」

「それはいぎん」

ベタなボケをかましとる場合か。

「外国人が怖いんですか」

「うん……」

言葉が通じないんだもの。

「今時、珍しいですねえ。ひとりで異国船うち払い令をやってるわけですか」

大砲は撃ってないよ。

「ふうん……へえ……」ニコライ江木氏、なぜかしらミヤベを見直したような目で見ております。

「そうか、ミヤベさんにも怖いものがあるんですねえ」

こうしてミヤベの拒否権発動にあって、タイ観光旅行の夢破れたニコライ江木氏はしょぼしょぼと編集長のところに戻り、計画を練り直すことになったわけです。

そんなある日、ミヤベは、某『歴史街道』という雑誌の対談で、杉浦日向子さんにお目にかかりました。江戸風俗研究家である杉浦さんは、ミヤベのお師匠さまです。この日のテーマは、「江戸の旅と信仰」。面白くて勉強になるお話をうかがっているうちに、

ミヤベはフト思いつきました。

――お徒歩のラストには、江戸の人たちが楽しんでお参りに行ったところを回ったら

どうかな？

そこで、帰宅してすぐニコライ江木氏に電話。開口一番、

「ねえねえ、善光寺とかお伊勢さんとか大山参りとか江の島の弁天さまとかあっちこっち行こう！」

「なんですか、それは？」

結局、日程の都合などもあり、善光寺参りとお伊勢参りのセットということで計画ができたのは、それから半月ほど後のことでした。ホントなら、富士山も金比羅さんもみんなみんな行きたかったんですケド、富士登山は写真班から「どうかそれだけは……」という待ったがかかってございます。

いよいよ決行という数日前に、我が大沢オフィスの親分大沢在昌さんに、今度のお徒歩は善光寺と伊勢神宮だと申しますと、

「なんか、すごい神仏混淆じゃない。いいのかよ？」

と、アヤブまれてしまいました。うむ、確かに。

でも、考えてみると、江戸の人たちもそうだったんですよね。敬うべき八百万の神様がおわしまし、尊ぶべき仏様もたくさんおわしまし、お祀りすべきご先祖様もたくさんいますというのが、この国の習わし。実はこれ、がっちりと強固で揺るぎない信念を与えてはくれるものの、実は融通がきかず凶暴な一面も併せ持つ欧米中東の絶対神信仰に比べると、とても穏和で温かい「敬虔」のあり方なのではないかと、近頃ミヤベはつく

づく考えるものであります。

なお、前述しました杉浦日向子師匠との対談は、対談集『杉浦日向子の江戸塾』（PHP研究所）に収録されています。ミヤベがうかがったお話だけでなく、他にもたくさんの面白くて目からウロコが落ちる江戸の話が詰め込まれているご本なので、ぜひご一読くださいませ。

2　善光寺でみそソフト食すの巻

　我らのこのお徒歩が決行されたのは、平成九年十月中旬のことでありました。そして他でもないこの月から、善光寺には、新幹線で行くことができるようになったのです。

　そう！　長野新幹線の開通ですね。東京から長野まで一時間半足らず。これもオリンピックのおかげです。

　でも――ひとつだけガッカリしたことが。

「長野駅って、いかにも善光寺の入口っていう、木造の古びた素敵な駅舎なんだってね」

　車中、ワクワクとしゃべるミヤベ。実は、善光寺に行くのも長野駅に降りるのも初め

てだったのです。

「そうですね。あれは見所です」

と言っていたにもかかわらず、着いてみたら、それはそれは立派なぴかぴかの新しい駅になっておりまして、古い駅舎は影もカタチもないのです。

「あれ?」

そうなのです。新幹線が開通すると、こういうことがあるのだな。新幹線の停車駅は、どこもみんな、クローンみたいに同じような造りになってしまうのですよ。近未来的というか、メタリックで白っぽくて、『スター・ウォーズ』のデス・スター中枢部みたいな感じ。

さて、遅蒔きながら今回のお徒歩隊のご紹介。と言っても、前回のメンバーがそのままた参加してくれたのです。

「今回は、前回みたいに歩かないで済むんですか?」

と、呑気な質問をする出版部の死海文書タナカ氏。氏は四十七士引き上げ道編とか箱根山階段登り編とかの本当にキツいお徒歩を体験していないのですが、前回の本所めぐりでも充分に「キツかった」という運動不足さんであります。元週刊新潮の記者サンなので、イジンさんは怖くないかもしれない。

「いい天気で、遠足気分ですね」

と、楽しげなのが文庫編集部のコパカバーナ長谷川氏。やはり前回からの参加ですが、元サッカー少年なので、足は丈夫。しかも、お父さんの仕事の関係で幼少時代をドイツで過ごしている帰国男子ですから、百パーセント、イジンさん怖くない。

お徒歩隊では、毎回いちばん重労働なのが写真班。今回も、若きカメラマンさぬきうどん土居氏が来てくれました。このお徒歩ばかりに付き合わせちゃったばかりの氏を駆り出すのは気が引けたのですが、キツいお徒歩の直前に、麗しい新妻をめとったばかりの氏も、いろいろな人の写真を撮るので、きっとイジンさん怖くないでしょう。

最年長のマック田村氏に逃げられちゃったんだもん。さぬきうどん土居氏もマック田村氏も、いろいろな人の写真を撮るので、きっとイジンさん怖くないでしょう。

コパカバーナ長谷川氏の言ったとおり、この日は本当に上天気で、空は青く山は──まだ三分の一ぐらいの紅葉。なにしろ暖かいのですよ。この日の長野市は、正午の気温が十八度ありました。

広々としてにぎやかな参道を、善光寺の大門めざして歩いていきます。近代的でよく整備された町並みのなかに、堂々たる古のお寺さんがそびえている様は、まさに圧巻。信州はいいなぁ、こっちに住んでみたいなぁと、ミヤベ本気で考えてしまいました。

コパカバーナ長谷川氏と死海文書タナカ氏が荷物を預けに行ってくれているうちに、ミヤベとニコライ江木氏とカメラマンさぬきうどん土居氏は、山門の下へと到着。ここ

から先は車も入れない道で、平日とはいえ観光シーズン、たいへんな人出です。

「にぎやかだねえ」

などと見回しているうちに、ミヤベ、とっつきのお土産物屋さんの店先に、

「善光寺名物　みそソフトクリーム」

という幟を見つけました。しかも、お客さんが並んでいます。美味しそう。

参拝前に不謹慎ですが、ちょうど喉も渇いていたところ。どれ食べてみようということになりました。が、お店から戻ってきたニコライ江木氏の手に、みそソフトはひとつだけ。

「食べないの?」

「いえ、僕はおやきにしましたから」

そうなの、今日は暑いくらいだからソフトクリーム美味しいのにと言いつつ、ミヤベはぱくり。

「……」

「おやきはうまいですよ」

「……」

「どうです?」と、ニコライ江木氏。「本当に味噌味ですか?」

「……」

「……」

「……」

「あの店は土産物屋じゃなくて、味噌屋さんなんですね」

「……」

点々が続くのは、手を抜いてるからじゃなくて、ホントに何も言えなかったからなんです。

「やっぱり、僕はおやきにしておいて正解でした」

えーと、結論から言うと、みそソフトはまずくないです。お味噌の味です。白味噌で

す。だから、ソフトの色も白いのです。茶色じゃないのね。それでえーと、たくさんの

参拝客が食べていて、みんな美味しそうに食べていて、ですからミヤベも全部食べまし

た。

でも、次回善光寺参りをしたときには、このお店のちょっと先に幟を立てていた「ふ

じりんごソフトクリーム」にします。ゴメンナサイ。

お寺さんを参拝して嬉しいのは、あのなんともかぐわしいお線香の香りがすることで

す。ミヤベはこの匂いを感じると、なんだかほっとするのです。

善光寺が庶民信仰のお寺さんとしてずっと親しまれているのは、このお寺が特定の宗

派にこだわらず、すべての人に開かれているからであるそうです。大門をくぐった先の

山門（高さなんと二十メートル！　重要文化財であります）の内壁に、善光寺と協力関

係にある全国のお寺さんの名前が、西日本と東日本にわけてびっしりと書き並べてある

のもそのためです。

この優しさは、「牛に引かれて善光寺参り」の有名な逸話にも表れていますね。

初めて参拝したミヤベにとって、何よりも驚きだった大建築ですね。本堂は一七〇七年に建てられたものと言われていますので、ざっと三百年近い年月をここに立ち、庶民の尊敬と信仰を集めているわけですが、ご本尊の一光三尊阿弥陀如来さまは、欽明天皇のころに、『善光寺縁起』によりますと、百済の聖明王から贈られたものですが、廃仏派の物部氏と崇仏派の蘇我氏の争いのあおりをくって、難波の堀江という川に捨てられていたものを、信濃の国の人が拾ってここに安置したのが始まりだということです。

「ここの柱の数は、百八本あるそうですよ」

除夜の鐘をつく数と一緒ですね。つまり、煩悩の数です。

「ミヤベさんの場合は、煩悩が百九つですね。イジンさん怖いというのが付け加わるから」

ほっといてちょうだい。

善光寺参りでミヤベがいちばんの楽しみにしていたのは、お戒壇めぐり。ご本尊の厨子の下にある真っ暗な回廊を巡って、ご本尊の真下にある鍵に触れることができれば極楽往生ができるという、あれです。

この日は混雑していたので、お戒壇めぐりも順番待ちの人が列をつくっており、その分、本堂のなかをゆっくりと見物することができました。昼間でも薄暗く、隅々まで見通すことはできません。蠟燭の明かりがゆらめき、お線香の紫煙がたなびき、参拝する方々の思い思いのココロの呟きが、ざわざわと聞こえてくるような気がします。

いよいよお戒壇めぐりの入口まで来ると、のぞきこむ急な階段の下は本当に真っ暗。

案内のお坊さんが、大きな声で騒がないようにお願いしますと指導していますが、先行する人たちの、わあとかきゃあとかびっくりしている声が聞こえてきます。

「坂東眞砂子さんの『狗神（いぬがみ）』の冒頭のシーンがここだよね」と、ミヤベ。

「そうですね」

お戒壇めぐりの人が、暗闇（くらやみ）のなかで、鍵に触れることができないとうつむいて悲しむ不思議な女性に遭遇するところから、恐ろしくも悲しい物語が始まるのです。

『狗神』を読んで以来、ずっと来たい来たいと思ってたんだ。だけど、ドキドキしてきちゃった。本当に、不思議な女の人が出てきちゃったらどうしよう」

すると、コパカバーナ長谷川氏があっけらかんと笑いました。

「大丈夫ですよ。坂東さんの担当は僕ですから、不思議な女性が出てくるとしても、僕のところに出るはずです」

お徒歩で行くには遠く、先におわす牛に引かれて（惹かれて？）であって
でも、善光寺へは一度お足を運んでもらいたいものです。

そういうものか？

さあいよいよ、おっかなびっくり手すりをつかみ、急な階段を降りていきます。先頭はニコライ江木氏、次にミヤベ、死海文書タナカ氏、コパカバーナ長谷川氏、さぬきうどん土居氏の順番です。

降りてしばらくは、まだ後ろからの明かりがあるので、真の闇にはなりません。前をゆくニコライ江木氏のシャツが見えていますので、そんなに不安でもない。が、右手をのばして壁に触れつつ進み、

「あ、ここが曲がり角だ。右に曲がりますよ」とニコライ江木氏が言って──

途端に、本物の闇に囲まれてしまいました。

「なんにも見えない！」

「大きな声を出さないでくださいよ。距離は近いんですから」

ホントに、ニコライ江木氏の声は近くに聞こえます。

「だけどなんにも見えないよ！」

目と鼻の先が見えない。顔の前に持ってきて振ってみても、自分の手さえ見えません。

「右手で壁に触りながら歩くんですよ。そうしないと迷子になりますよ」

「迷子になるほど広いのかなぁ」

「試してみますか？」

ミヤベ、肩までべったりと壁にくっつけて歩きました。

「ミヤベさん、進んでますかぁ？」

うしろから死海文書タナカ氏の呼ぶ声が聞こえます。かなり遠いぞ。

「進んでるよぉ！　だいぶ距離が空いてるよ！　詰めて詰めて！」

急いで死海文書タナカ氏たちが追いつきます。前に進むミヤベはニコライ江木氏の足を踏んづけました。

「あ、ごめん」

「いやぁ、本当に距離感も方向感覚もなくなりますね」

また踏んづけました。

「ごめんね」

「いえいえ」

もう一回踏んづけました。

「ごめんねー」

「わざとやってますね？」

ミヤベ沈黙して闇に溶けこみました。

もう一回右に曲がると、先の方の人たちが口々に言っているのが聞こえます。もっと下だよ、左じゃないよ右だよ、あ、あった！　がちゃがちゃという音もします。

「鍵が近いようですね」

冷静なニコライ江木氏の指示に従い、ミヤベは無事に鍵に触れることができました。

想像していたよりも大きくて頑丈なものでした。むろん、目で見ることができないので

形状はしかと判らないのですが。

うしろで、コパカバーナ長谷川氏が狼狽（ろうばい）しております。

「タナカさん！　それは鍵じゃないですよ、僕の手です」

「なんだ、どうも柔らかいなあと思ったんだ」

大丈夫だろうか？

また急な階段を上がって本堂に戻ります。地下にいたのはひどく短時間のことだったの

に、外の光がまぶしく、別世界に来たような感じがします。

「お戒壇めぐりを終えて出てくると、その人は生まれ変わったことになるそうですよ」

と、ニコライ江木氏が教えてくれました。なるほど、その感覚です。

一同無事に本堂へ帰還。参道へと引き返す道々、金髪碧眼（きがん）の外国人観光客グループと

すれ違いました。そそくさと道をよけるミヤベ。

「全然生まれ変わってないですね」

だから、ほっといてちょうだいってば。

「ねえねえ、善光寺に行こうっって言ったら、江木さん、それならやっぱり牛に引かれて

いかないといけませんねえって言ってたよね？　牛はどこにいるの？」

「ミヤベ、お徒歩シリーズではいろいろな写真を撮られてきましたので、牛の手綱をと

ってポーズするくらい、なんでもない。動物は怖くないのです。

「牛はね、ここにはいません」

「善光寺にいなくてどこにいるの？」

「それは先へ進んでのお楽しみ」

というわけで、一泊目の中津川のお宿へと向かったのでした。

　　3　中津川よいとこキノコがいっぱい

旧中山道の中津川宿で泊まろうというのは、ニコライ江木氏の発案でありました。

「昔の旅の気分を味わいたいでしょう？」

長野から中津川への移動には、中央本線を使います。道中、まさに山また山。

「木曾路はすべて山の中である」

あれは、掛値なしの真実ですね。

お徒歩隊が宿をとったのは、中津川では有名な「よがらす山荘」という旅館でした。

ここは一棟建ての旅館ではなく、広い敷地のなかにコテージがいくつもあるという形式なのですが、凄いのは、そのコテージ。

「わらぶき屋根だ!」

なんと、わらぶきの民家をそのままコテージとして使用しているのです。珍しいし、こういうところにはなかなか泊まれないので、ミヤベ大喜びをいたしました。

なかに入ると、六畳分くらいの土間があり、あがるとすぐにいろりの間。そこを中心に、左右にそれぞれ座敷があるという間取りです。いろりの間をリビングと考えれば、複数の寝室のあるスイートルームというところでしょうか。お手洗いも洗面所も個々の家についていますが、水回りは最新式のアタッチメントが採用されていて、おトイレは洋式。このあたり、昔風の気分は欲しいけれど不便なのは嫌だという観光客気質をよく理解してくれていて親切でした。

お風呂だけは別に建物があり、下駄を鳴らして敷地のなかをころころと歩いていきます。ミヤベの入った女風呂は、そのときは他に誰もいなくて貸し切り状態。のんびりしました。

この夜のお食事は、山の幸が大爆発という豪奢なもので、圧巻はやっぱり松茸。網焼きと土瓶蒸しの両方をいただくことができました。普段は松茸になぞ縁がないミヤベのワープロは、「どびんむし」を「土瓶虫」と変換してしまうところがナサケナイ。どん

な虫なんだよ、いったい。

松茸と一緒に、実は松茸よりも高価で美味しいという「老茸」というキノコの網焼きもいただきました。少ししか採れないので、ほとんど市場には出回らないのだそうです。

「善光寺参りに来た江戸の人たちも、きのこ料理を食べたんでしょうね」

「懐具合に応じて、ぴんからきりまであっただろうけど」

「旅費が足りなくなると、途中の宿で住み込みで働いてお金を稼いで、また出発したりしたんだって」

昔の旅は臨機応変、ゆったりとしていたのでしょう。時間に急かされる現代人には、どうしても実感できないところです。実際、宿に着いた途端に東京に残してきた仕事の件で東京へ電話しまくるお徒歩隊でもあります。

「今回は全然歩きがなくて、天気もいいし、観光旅行です」と、編集長に報告するニコライ江木氏。ホント、お徒歩の最後にこんなことさせてもらっていいんでしょうかとシアワセなミヤベ。

食事の最後には、キノコたっぷりの雑炊が出てきました。これがまた極めつけに美味しかった！　こういう仕組みの宿ですから、仲居さんは、当然のことながら、各コテージへ料理を運んで回るのですが、出てくる料理はみんなアツアツ。これも凄い。手際がいいんですね。それなのに、雑炊到着の途端に電話をかけにいってしまった死海文書タ

ナカ氏。戻ってくるころには、あーあ、ふやけちゃったじゃないの。皆様も、中津川宿にお泊まりの際には、雑炊は熱いうちに食べましょうね。

「なんか修学旅行みたいですねえ」

そんなことを言いつつオヤスミナサイ。ミヤベはすっかりいい気持ちで熟眠しましたが（部屋はエアコン付きです。夜はさすがに冷えたので、有り難かった）、四人のオトコ衆は話がはずみ、本当に修学旅行の再現で、布団にもぐったまま遅くまでしゃべってしまったとか。いちばん重労働のさぬきうどん土居氏がトロトロと眠り込んだところに話しかけてしまったら、真面目なさぬきうどん土居氏ハッと目を覚まし、

「すみません、うたた寝してました」

いいんですよ、寝ても。布団に入ってるんだから。ホントにもう、お徒歩隊にもシゴキがあるとは知りませんでしたよ、ねえ。

4　おかげ横丁で地ビール

「なんかね、今度のお徒歩はお徒歩じゃないね」

翌日、朝御飯をたくさん食べて満足、元気に出立するときに、ミヤベ申しました。

「物見遊山だねえ。楽しいけど、後ろめたくって」

するとニコライ江木氏鼻先でふふふと笑い、

「お徒歩に付き合わされた各担当者の慰労の旅というふうに思ってください」

そういうことらしいです。

「そうすると、本当なら、異動で週刊新潮へ行った出版部の中村さんや、他の出版社に行ってしまった元文庫担当の阿部さんも呼ばないといけなかったね。写真部の田村さんも来てほしかったなあ」

「それはね、お徒歩の打ち上げでやりましょう。また別口で」

そういうことらしいです。

中津川からお伊勢さんに行くためには、名古屋に出て、近鉄アーバンライナーに乗ることになります。なるほど、今回は移動距離が長いので、お徒歩のしようがないということはありますね。だけど、真面目な読者の皆さんから、最終回にこんなテレビのグルメ旅行みたいなことをしやがって許せん！　というお叱りの手紙がこないかしらんと心配――と言いつつ、名古屋での乗換え待ち時間に、しっかり天むすを食べたミヤベであります。

言うまでもなく、関東と関西では食べ物の趣向が違いますね。いろいろと議論のたねにもなったりします。

ミヤベは東京の下町から一歩も出たことがないという、きわめて偏った育ちをした人間でありますので、かなり大人になるまで、東北の料理、関西の料理と、あれこれ味わうことがありませんでした。ただ、元来がすごい食いしん坊でありますので、議論より理屈よりも先に、まず食べることが先。で、秋田のきりたんぽ鍋は本当に美味しかったし、お蕎麦は信州のが最高だし、大阪のお好み焼きは格別だったし、讃岐うどんも大好きだし、博多のとんこつラーメンもお代わりしちゃったと、まあ節操がないわけです。

ところがですね――そんなミヤベにも、ひとつだけなじめない味があったのですね。

それが、名古屋の味噌カツ丼というもの。

新幹線の名古屋駅ホームには、美味しい味噌カツ丼を食べさせるお店があるのだそうです。伊勢に着くのは昼過ぎなので、ふたつぐらい買ってきて、みんなで分けて食べてみましょうかという話になったのですが、ミヤベはひと言「ヤダ、天むすがいい！」と叫んだという次第。ホントにね……天むすみたいに美味しいものと、理解不可能の味噌カツが同時に存在している名古屋は不思議な土地でありますよ。

ところで、味噌カツのあの独特の味噌は、いつごろから存在してるのでしょうね？　江戸時代からあったとすると、面白いで詳しい方がおられましたら、ご教示ください。粋がる江戸のお阿仁さんたちが、伊勢参りの途中に味わって、どんな顔をしたすよね。かと考えるとね。

伊勢神宮は、おしなべて観光地化の進んでいる日本の神社仏閣のなかで、もっとも強く「聖域」の雰囲気を残しているところです。五十鈴川の清流は、そこを訪ねる人びとの目を洗い、心を和らげ、しかし同時に、かつての日本の川は、どこでも、これほど清らかに澄んで美しかったのだなあと、失われたものを惜しむ感情をかきたてます。

「何ごとのおはしますかは知らねども　かたじけなさに涙こぼるる」

と詠んだ西行法師に、素直にうんうんと頷くことができるでしょう。

善光寺では遠足気分で騒いでいたお徒歩隊も、内宮、外宮と参拝するあいだは、やっぱりこの場の静けさにうたれて、なかなか神妙でありました。この日も好天に恵まれ、人出も多かったのですが、善光寺ほどには混雑した感じがなく、参道はしんとしています。

この対照的な印象──遠い距離をおして、続けて訪ねてきた甲斐がありました。聖なるものを尊ぶ心と、神仏参りを楽しむ心。このふたつが共存することが、日本人にとって案外大切なんじゃないかなと、ミヤベは思います。それと、先ほど書いた西行法師の歌に表されている感動──理屈は判らないけれど、涙が浮かんでくるほどに心が震える──それを大事にすることも。

ミヤベは伊勢神宮を参拝するのはこのときで三度目だったのですが、いつのときも、

「かたじけなさに」と感じます。それは伊勢神宮ばかりではなく、氏神さまの富岡八幡宮に詣でるときも、亀戸天神に詣でるときも、昨年秋に初めて太宰府天満宮を訪ねることができたときも、やっぱり同じように感じました。さらに、頻繁にお参りすることの多い氏神さまに対しては、「こんにちは、また来ましたよー」という親しみも覚えます。

信仰の自由はすべての人に保障された権利であり、それについて制限を加えるとか、規制をするなどの動きには、ミヤベも全面的に反対です。様々な教えや信条があって、それに触れてみてこそ、本当に自分で考えることの大切さが理解できるのだと信じていますので。

ただ、特に神秘主義的な内容の新しい宗教に惹きつけられることの多い今の若者たちに、ある特定の教えに身も心もなげうって奉仕してしまう前に、たとえば善光寺や伊勢神宮を、一度は訪ねてみてほしいなとお願いしたいのです。しょせん観光地じゃないかと頭からバカにせず、仏教の聖地はインドに行かなきゃないんだなどといきなり海外に飛び出さず、まず身近な神様や仏様に「会って」みてほしい。何百年ものあいだ、今のわたしたちのような豊かさに囲まれてもおらず、基本的な教育程度も高くなく、病気や災害で簡単に命をとられてしまう厳しい人生をおくってきた無数の善良な人々の信仰を集め、心の支えとなってきた神様仏様の持つ底力を、小賢しくあなどってはなりません。逆に言えば、そこには必ず、「かたじけなさ」を感じさせるものがあるはずなのです。

君よ知るや、民間信仰の"聖地"。お伊勢さんは、ほんとうに
心を洗ってくれます。

そして極論を言うならば、そうした場所のどこへ行っても、それこそ氏神さまへ行っても近所のお地蔵さまを見てもお稲荷さんの前を通りかかっても、爪の先ほどの「かたじけなさ」も感じることのできない人が、いくら勉強ばっかりしてダライ・ラマ十四世に会いに行ったって、時間の無駄だよとミヤベは思います。それぐらいならいっそ、生涯「宗教」（民俗宗教も含む広い意味で）と無縁の生活をした方が、自分自身のためにも世の中のためにも、ずっと平和でありましょう。

「お伊勢参りに来たら、やっぱり赤福だよね！」

などと騒ぎつつ、おかげ横丁へとやってきたお徒歩隊。なんと、地ビールを見つけてしまいました。昼間っからビールだよ。ホントに編集長怒らないのかなぁ。

伊勢市をあげてのプロジェクトとして、おかげ横丁一帯のお店の建物を昔せる木造にし直しているということは知っていましたが、それがここまで徹底されており、気持ちよく造られているということは知りませんでした。まだ伊勢を訪ねたことのない皆さん！　絶対行くべきです。おかげ横丁、楽しいです。手ごね寿司も海老フライも絶品、地ビールも、ミヤベの食べた抹茶アイスもなかも美味でした。

おかげ横丁を出て、タクシーで（ホント、お徒歩じゃないなぁ）「お伊勢参り資料館」へ。ここには、約四千体の和紙人形によって構成された、江戸時代のお伊勢参り風景を

再現したジオラマが展示されております。これはもう、必見です。わぁ、お土産に欲し

いなぁと思ってしまうほど可愛らしい和紙人形が、江戸の風俗を教えてくれるのです。

特にミヤベの印象に残ったのは、質素な身なりをした子供を含む五、六人の道中で、先

頭の人が「ぬけまいり」という幟を立てているというもの。「ぬけまいり」とは、お店

の奉公人や女中さんなどが、主人の許しを得ずに黙ってお伊勢参りに出かけることを指

すのだそうで、本当にお伊勢さんに行くのである限り、主人側も追っ手をかけたり連れ

戻したり、また本人が戻ってきた後で罰を与えたりしてはいけないとされていたのだそ

うです。

　面白いのは、この「ぬけまいり」の面々、てんでに背中に長柄杓を背負っているんで

す。何に使うかというと、道々、これを差し出して小銭を恵んでもらい、それを路銀の

足しにしたのですね。うーん、いいなぁ。ミヤベもやろうかな。書き上げた原稿を唐草

模様の風呂敷に包んで担ぎ、そこに長柄杓をさして、出版社参り。気に入って買ってく

れるなら、お代は柄杓に入れてね。

　それでどこへ行くかというと――ゲーセンめぐり。ややや、これじゃ駄目ですね。

5　夢の志摩観と牛の登場

善光寺プラス伊勢神宮めぐりコースが決定したとき、タイ旅行の夢破れた担当ニコラ

イ江木氏が強く主張したのは、

「お伊勢参りの後は、志摩観光ホテルに泊まりますよ!」

ということでありました。だからって、英虞湾に沈む夕日の美を愛でようというわけ

じゃありません。ひたすら、ここのオリジナル料理、あわびのステーキを食すためであ

りますね。

山崎豊子さんの『華麗なる一族』の冒頭のシーンの舞台として使われたという、広々

として美しいディナールームに、全然華麗じゃない軽装のお徒歩隊が乗り込みましたの

は、この日の夜七時頃のことでありました。

「あ、わ、び! あわび!」と歌うミヤベ。

実はこの日、昼間のうちから「夜は志摩観だねー」と騒いでいた我々のあいだに、ひ

とつのもくろみが生まれていました。「あわびのステーキ」はもちろん食したいけれど、

もうひとつここのオリジナルとして有名な「伊勢エビのカレー」というものも食してみ

たい！

このもくろみの火付け役は、出版部の死海文書タナカ氏でありました。よがらす山荘での朝御飯の折に、氏がぽつりともらしたのであります。

「週刊新潮にいたときに、取材で志摩観光ホテルに泊まって、予約なしではなかなか食べられないという伊勢エビのカレーを食べたんですけど、いやあ、やっぱり旨かったですよ」

アッハッハァ――と笑う氏に、他の四人の冷たい視線が槍のように降ること降ること。

「判りました」と、決然としてうなずくニコライ江木氏。「我々も伊勢エビのカレー、食べましょう！」

だけどそんなにいっぺんにたくさん食べられないじゃないと言うミヤベに、

「じゃ、伊勢エビのカレーは翌日の昼飯に！」

と宣言するほどの執着ぶり。なあんてね、実はミヤベも、すごく食べたかったんですけどね。

結局、時間の都合で伊勢エビのカレーとの邂逅は果たせず、それでももう志摩観光ホテルのディナーだというだけで異常にハイになった我々は、ワインの酔いも手伝って大騒ぎ。ホテルの皆様、さぞうるさかったのではないでしょうか。スミマセンでした。

ところで、メインのアワビのステーキが食膳に供されたその瞬間、意外なハプニング

が起こりました。

「今まで黙ってたんですけどね」

突然、いずまいを正してコパカバーナ長谷川氏が発言。

「実は僕、貝類が苦手なんです。普段はあわびとか、ほとんど食べないんです」

途端に勢いづくニコライ江木氏。「あ、そう。そんならいいよいいよ、俺たちが食う

から、全然気にしないでいいよ」

すると、終始冷静なカメラマンさぬきうどん土居氏がひと言。「でも、ここの有名な

オリジナル料理ですから、試してみないのはもったいないですよ。食べてみたら?」

そうよそうよとミヤベも賛成。実はミヤベも、普段は貝類が苦手です。

「だけどね、ここのは特別。貝料理の概念が変わるから!」

それなら、じゃあひと口──と食したコパカバーナ長谷川氏、フォークを置くなり、

「ホントに概念変わりますね」

というわけで、全員で美味しくいただいたのでした。ニコライ江木氏、悔しがること

しきり。

「簡単に概念が変わるのはいけませんよね」と、寝る間際（まぎわ）まで言ってました。

さて、一夜明けまして、二泊三日のお徒歩食い倒れ旅も、ついに最終日。午後三時に

は名古屋駅から新幹線に乗らねばなりません。

「二見浦にはぜひ行きたいなぁ」

というミヤベの希望をいれて、またもタクシーに乗り込む我々。お徒歩隊じゃなくてお車隊ですな。いやぁ、本当にメンモクありませんです。

私事になるのですが──といっても、お徒歩日記自体が全編ワタクシゴトのオンパレードなんだけど──ミヤベは昨平成九年に、作家デビュー十周年を迎えました。単行本デビューからは八年なのですが、オール讀物推理新人賞をいただいてから数えると、十年経っているのです。

なんでも十年続いてやっと一人前というのがミヤベの父の口癖なので、おおやっとワタシも一人前かと気を引き締め直す反面、十年よく保ったなぁというオドロキの気持ちと、十年あっという間だったなぁミヤベの青春はどこへ行ってしまったんでしょうかというホロ苦い悔恨の気持ち（このくだりを読むとき、担当ニコライ江木氏は『何が悔恨じゃ！』と呟くことでありましょう）と──さまざま想うところはございます。

まあしかし、十年ひと区切りとも申しますので、この春、いろいろ心配などかけてきた家族親戚などを連れて、旅行をしようなどと考えておりまして、その候補地のひとつが、志摩スペイン村なのです。そこで、これ幸いとタクシーの運転手さんにいろいろ伺うことにしたわけですが──

「スペイン村なら通り道だから、ちょっと寄ってみましょうか。入口だけでものぞいてみれば、感じがわかるでしょ？」

親切な運転手さんであります。

スペイン村を候補地として選んだのは、ここには最新の「ピレネー」という絶叫マシーンがあるからです。実は、ミヤベもミヤベの姉も、姉の子供たちであるふたりの姪も、三度の飯と同じくらい絶叫マシーンが大好き！　暇とお金があったなら、日本中の絶叫マシーン乗りまくりツアーに出かけたいくらいなのです。

運転手さんがスペイン村入口に車を乗り付けてくれると、堀ごしに見えます見えます、ツイストして落下してまたツイストして上昇する絶叫マシーンの軌道が！

「やっぱり、絶対来なくちゃ！」⑧

「ここは人気ありますよ」と、運転手さんもニコニコ。「スペイン村だけじゃなく、志摩は観るところが多いし、食い物は旨いしね」

さてこのとき、お車隊は二グループに分かれておりました。前のタクシーにミヤベとニコライ江木氏とカメラマンさぬきうどん土居氏。後ろのタクシーにコパカバーナ長谷川氏、死海文書タナカ氏のコンビ。で、二見浦についてタクシーを降りたとき、後ろ組の二氏がにやにやしながら告白したのであります。

「いやあ、ミヤベさんたちの車がスペイン村に近づいて行ったでしょ？　一時はどうな

ることかと冷汗かいてたんですよ」と、コパカバーナ長谷川氏。

「へ？　なんで？」

「予定を変えて、スペイン村で遊んでいくことになったかな、と」と、死海文書タナカ氏。

「うん、それも楽しそうだけど、でも二見浦にも行きたかったからね。でも、スペイン村、嫌なの？」

「それがですね――」

「我々ふたり――」

絶叫マシーンが死ぬほど苦手なんだそうです。

それを聞いたニコライ江木氏。「なんだ、もっと早く判ってれば、絶対にスペイン村に寄ったのに」

だそうであります。うーん。

自然は何を企んでいるわけでもないのでしょうに、実にしばしば、我々がびっくりするような不思議な景色をつくりだしてくれます。⑨二見浦の夫婦岩も、もちろんそのひとつ。

晴れ渡った青い空に、適度に荒れた海。潮風が吹き付けるので、今日はさすがに寒い

なあと思いつつ岸壁の通路を歩いているとき、ミヤベはひとつ拾いものをしました。お
そらくは海にプカプカ漂っていたのであろうものを、どなたかが拾って、岩陰に立てか
けておいたのでしょう、その「あるもの」は、通り道の右手の丸い岩の上で、ぽつんと
ひとつ、ミヤベが来るのを待っていたような感じに見えたのでした。

さあ、何を拾ったのでしょうか。皆様、推理して楽しんで下さい。ヒントは、海に落
ちても駄目にならないものであること。東京に帰ってから、ミヤベはそれを洗って乾か
したということ、そして現在、部屋に飾ってあるということであります。

ミヤベにとっては、その「あるもの」が、二見浦がくれた素敵なお土産でありました
が、お徒歩隊の面々は、ここでにわかに里心がついたのか、みんなでお土産買ってまし
た。やっぱり、夫婦岩を見たせいでしょうかね。

二見浦を後にすると、もうお昼近く。

「ねえ江木さん、おかげさまでとても楽しかったけど、最後まで牛が出てこなかった
ね？」

ニコライ江木氏、不敵に笑いました。「これから出るんですよ、牛は」

「これから？　どこで？」

「ミヤベさん、我々がどこにいると思ってるんです？　いや、どこの近くにいると思っ
てるんです」

論理的推理はからきし駄目なミヤベでありますが、しかし！　このときは閃きました。

だって、食べ物のことだからねぇ。

「そうか——松阪だ！」

「そうです！」

という次第で、このあと松阪に移動、それはそれは美味しいしゃぶしゃぶをいただいたのですが、いやしかしもう申し訳なくてこれ以上は書けませんわ。

ホントにホントに、ご馳走さまでした。

　グルメ旅行みたいな最終回でお徒歩日記を終えるのは、知性も教養も美貌もないがとりあえず正直を売り物にしているミヤベにとっては大変心苦しいことです（ホントですよ）。

　看板に偽りありは、作家として致命傷になりかねない——（ホントかよ、おい）。

　そこでとりあえず、こんなふうに予告しておきたいと思います。ミヤベを頭目とするお徒歩日記はこれで一旦終了しますが、お徒歩という旅のあり方はなくなったわけではない。そこで、今後も、お徒歩し甲斐のあるスポットやコースを見いだしたならば、すぐにもゲリラ的お徒歩旅に出発し、その経過をつぶさに小説新潮誌上で皆様にご報告いたします、と。お徒歩にちょっと参加してみたいなという希望をお持ちの作家の皆さんをゲストにお迎えするなんていうのも、楽しいですね。

お戒壇めぐりでは生まれ変わらなかったミヤベでありますが、善光寺の参道にあるお土産物屋さんで、実に美しい「言葉」を買いました。その「言葉」は手ぬぐいに印刷されてるんですけどね。

日常の五心

一、ハイという素直な心　（原稿依頼を断らないの意）

一、すみませんという反省の心　（〆切に遅れたとき言い訳しないの意）

一、わたしがしますという奉仕の心　（緊急の代原も喜んで引き受けるの意）

一、おかげさまという謙虚な心　（書店さんへ行ったら頼まれなくても掃除をするの意）

一、ありがとうという感謝の心　（本が出せるのはひとえに版元あってのことなので印税率を下げられても文句を言わないの意）

ね、美しいでしょ？　本日から、これがお徒歩隊の合い言葉であります。ちゃんと実践しなかったら、ニコライ江木氏のシバキが怖い──だけど本気にしないでね、ウソだよ！　冗談抜きに、最後にミヤベ、心をこめて申し上げます。　お徒歩日記を愛読していました皆様、本当にどうもありがとうございました。

① **不景気**【ふけいき】バブル経済の崩壊後、いっこうに景気は上向きにならず、四年をこえる不景気なんだそうです。なんとも、お寒い。ぶるぶる。

② **公共料金**【こうきょう・りょうきん】平成九年四月から消費税率が三％から五％に引き上げられ、これに伴い電力やガス、電話などの料金、鉄道の運賃が上がった。

③ **新型インフルエンザ**【しんがた・いんふるえんざ】香港で発見されたA型インフルエンザ。余談ながら、前年の七月、香港はイギリスから中国に返還された。

④ **暖冬少雪**【だんとう・しょうせつ】このあとにミヤベさんも書いている通り、この年、長野冬季五輪が行われました。冬のオリンピック史上最も南の開催地でしたが、無事、閉幕しました。

⑤ **山田長政**【やまだ・ながまさ】十七世紀初頭、朱印船でシャムに渡り、日本人町を統率した首長。日本とシャム間の交易をすすめ、また日本人を率いてシャムの内乱、外征に加わり、武功をたてた。

⑥ **異国船うち払い令**【いこくせん・うちはらいれい】一八二五

年、徳川幕府が諸大名に清とオランダを除く外国船をすべて撃退することを命じた法令。

⑦ **親分**【おやぶん】ここでまったくの余談をひとつ。お徒歩日記の最終回であるこの第七回は、有り難いことに小説新潮誌上でミヤベのためのミニ特集を組んでいただきました。その際、オフィスの皆さんにもご協力をいただいたので、あとでささやかな打ち上げをしたのですが、その席で、大沢さんとミヤベがずっとテレビゲーム『バイオハザード2』の話ばっかりしていたので、同席していた小説新潮編集部のスタッフがみんなプレイステーションを買いに走ったという……。でもホント、『バイオハザード』は刺激的なゲームです。カプコンさん、いつも新作をありがとうございます。『ブレス・オブ・ファイア』のシリーズも大好きです！

⑧ **スペイン村**【すぺいん・むら】スペイン村行きは、平成十年の四月に実現しました。とても素敵なところで、遊園地は楽しくホテルは居心地よく食べ物は美味しく、お勧めです。関東近県の方にはちょっと遠く感じるかもしれませんが、お伊勢参りも兼ねてぜひ一度どうぞ。ミヤベは絶叫マシーンのピレネー、八回乗りました。爽快！

⑨二見浦の夫婦岩【ふたみがうら・の・めおと・いわ】

⑩「あるもの」【クイズ】たくさんのご応募ありがとうございました。クイズの答は「ぬいぐるみ」です。

ここから先に収録されている二つのエッセイは、まだ「お徒歩日記」の企画が立ち上がる前に書いたものです。とりわけ、「剣客商売『浮沈』の深川を歩く」は、お徒歩日記の起点となったものでした。『こちらブルームーン探偵社』（古い！）とか最近では『Xファイル』とか、米国のテレビシリーズが始まる前には、たいていの場合、まずパイロット版というのが放映されますね。まあ、ノリとしてはあれに近いものがあるとお考えください。其ノ壱のところでも書きましたが、この深川歩きが思いのほか好評だったのと、勉強になり、かつ楽しかったことが頭に残っていて、やがて「お徒歩」につながっていったわけです。

剣客商売「浮沈」の深川を歩く

平成五年三月十七日

暦の上の名ばかりの春の二月初旬、池波正太郎さんの「剣客商売」シリーズ最終巻『浮沈』に描かれている深川を散策し、深川飯やどぜう鍋を味わおうという、なんとも魅力的なこの企画が持ち込まれたとき、「否」というほど謙譲でもなくまた食いしん坊のわたくし宮部みゆきは、ふたつ返事でお引受けしたのであります。

「深川なら、はっきり言ってワタシの縄張です。まっかしといてください！」などと薄い胸を張りつつ、カレンダーにしるしをつけてワクワクと待つこと一ヵ月。

わたしと小説新潮編集長の校條さん、写真部の田村さん、春の異動で週刊新潮から小説新潮へ移り、わたしの新しい担当者となってくれる江木さんの四名は、快晴の三月十七日正午、勇躍、深川めぐりへと出発いたしました。以下の拙文は、『浮沈』の魅力的な物語世界にちらりと触れつつ、散策の顚末をあますところなく記した道中記でありますが、この数ページのあいだに、「縄張です」というワタクシ宮部みゆきの力強い発言が

ほとんど詐称（さしょう）であったということとか、新編集長條さんの作家には知られざる素顔の一端ですとか、いつもニコニコ優しいカメラマンの田村さんが、いかにして、その辺のありふれた風景を一枚の「写真」として仕上げてしまうのかという秘密とか、新担当者の江木さんのひそやかなる珍しい趣味ですとか、衝撃の事実が多々飛び出して参りますので、読者の皆様には、カクゴを決めてお読みくださいますようお願い申し上げる次第であります。

いや実際、愉快な半日でありました。

「中吉」のおみくじでスタート

さて。

池波さんの『剣客商売』は、今さら申し上げるまでもなく、数多いファンを勝ち得ている時代小説の傑作シリーズのひとつでありますが、そのなかに、自分の生まれ育った深川が主な舞台となっている作品があるということを、浅学（せんがく）なわたしは知りませんでした。この作品『浮沈』は、秋山父子の父のほう、秋山小兵衛（せんべえ）が、二十六年昔、齢（よわい）四十のときに、深川は十万坪にある千田稲荷（いなり）裏手の草原で、ある敵討ち（かたきうち）の立ち会い人となった

ことがある――という回想から幕を開けます。このとき小兵衛は、父の敵を討とうとする滝久蔵という門人の若者の側について、相手方の立ち会い人であった山崎勘介という侍と切り結んだのですが、すさまじいまでの山崎勘介の気合いと豪腕に圧倒されかかり、実にきわどいところで辛勝したのでした。

回想として小兵衛の口から語られるとはいえ、冒頭のこの果たし合いの場面は、読者の胸倉をとらえてぐいと引きずりこむような緊迫感に満ちています。そして、わたしたちの深川めぐりは、果たし合いのあったこの千田稲荷を始め、作中に登場する主立った地名や建物を、ひとつひとつ確認して訪ねてゆこうというプランでスタートいたしました。

まずは、門前仲町にある富岡八幡宮の境内に集合。本日の道中が実り豊かでありますようにと、全員で参拝。おみくじを引いてみたところ、わたしのは中吉。あとは運が落ちるばかりの大吉よりも幸先がいいと、一同喜んだのでした。

わたしの生まれ育った家は、この富岡八幡宮から、徒歩で三十分ほどのところにあります。千石という地名ですが、『浮沈』で敵討ちがあったと設定されている宝暦八年（一七五八年）のころといったら、まだ何もない、ただのじめついた原っぱだったところだろうと思います。わたしの祖先がここに住み着いたのがいつごろのことなのかはわかりませんが、とにかく、ここに居ついてわたしで四代目だということに間違いはないそ

うです。

『浮沈』に限らず、我が深川を舞台に描かれている時代小説を読むと、いつも感じるのは、「こんな殺風景な新開地に住み着いて、うちの御先祖さまはいったい何をして暮らしてたんだろうか？」ということであります。四代住み着いているというのはわたしの母方の先祖で、父方のほうは深川よりももっと東の砂村、現在の砂町にいたのだそうですが、どっちにしろ似たようなもの。

時代考証の本を読んでも、本所や深川というのはきわめていかがわしい場所で、脛に傷持つ連中が逃げ込んでひそむには格好のところだったとか、このあたりにある武家の下屋敷は賭場と化していたとか、日本橋あたりの大店の娘がひとりで深川あたりへ足を踏み入れたら、もうそれだけで嫁にはいけなくなってしまったものだとか、とにかく良い話は出てこない。そんなところを察するに、ニューヨークのブルックリン①みたいなところだったらしいのですね。うちの御先祖さまは何を生業にしていたのだろうか？

「貧乏人だったはずだ」というのが、わたしの母の見解であります。「貧乏」というのは生業の名称ではないと思うけど、わたしもそれには、敢えて「否」と唱えません。唱えませんが、しかし、

「もしや、木場の材木問屋の番頭さんだったとかいうことはないかしらね」

と言ってみると、母はすげなく、

場所は、深川の千田稲荷裏手の草原であった。

　このあたりは、俗に「十万坪」とよばれている埋立地で、享保のころ、深川の商人が幕府へ願い出てゆるされ、十万坪の新田開発をした。

　土地の人びとは、このあたりを「千田新田」とか「海辺新田」とかよんでいるが、人家もなく、田畑も少ない。一面の葦の原に松林が点在するといった風景で、近くに木場（江戸の材木商が集中している町）や、八幡宮の盛り場があるとはおもえぬほど、景観は荒涼としていた。

（池波正太郎『剣客商売　浮沈』より）

挿絵・中一弥
「小説新潮」平成元年二月号に掲載

「だとしても、女かバクチで身を持ち崩して追い出されちゃったってクチだろうね」

稀代の放蕩者で地元にその名を轟かせていた父親（つまり、わたしの祖父）をよく知っているので、母は、自分の血筋について一片の幻想をも抱いていないのですな。

そこで、父に同じ質問を持ちかけてみますと、さすがに父はロマンチストでありました。「うちみたいに教育のない一家から、突然おまえみたいな小説家がぽんと飛び出してきたんだから、先祖にも偉い人がいたに違いない」と言います。だけどお父さん、アタシは小説家だけど、だからってエラくはないんだよ」

「そうすると、けっこうお金持ちだったりしたかしらね」

「そうかもしれない」と、父は自信ありげです。「幕末に、矢部駿河守って町奉行がいただろう？」

「あの、鳥居耀蔵にはめられて失脚しちゃったヒト？」

「そうそう、あれはな、おめえ、うちの御先祖だぞ」

にわかには信じられないなあ。姓が同じだってだけじゃない（わたしの本名は矢部というのです）。

父の希望的観測はさておき、とにかく、この地に住まっていたのは、治安がよく、早い時期から町役人制による町政の管理が行き届いていた御府内に暮らしていた人々より、かなりしたたかでしぶとく、お金はないけど根性だけはあるという人々であったこ

とに間違いはないでしょう。あの東京大空襲で一家九人ひとりも失わず、無傷で生き延びた父方の家族や、空襲後の焼け野原にいち早く棒杭で柵をこさえて自分ちの敷地を確保してしまったという母方の祖父の逸話を知るにつけても、ワタクシもそれには自信をもってうなずいてしまう。御先祖さまはしぶとかったのだ！

話が大きくそれてしまいましたが、参拝のあと、並びにある深川不動の仲見世に「深川飯」の幟（のぼり）を見つけ、我々はいそいそと引き戸を開けました。まずは昼飯。

深川飯は、大根の千切りやざくに切った葱（ねぎ）と浅蜊（あさり）の剥き身を炊きあわせ、それを熱々のご飯に汁ごとぶっかけて食べるという、きわめてざっかけない丼（どんぶり）であります。我が家でもときどきつくりますが、醤油（しょうゆ）と味醂（みりん）、砂糖を少々の味付けで、なかなか美味なものです。『浮沈』では、秋山父子がこの深川飯を味わうことはありませんが、「仕掛人梅安」のシリーズのなかには、梅安と彦（ひこ）さんが、まずは鍋にかけた大根と浅蜊で酒を飲み、そののち、汁を飯にかけて食べるという場面がありました。

この小さな食堂で味わった深川飯は、全体に味付けが濃く（わたしには甘みが強すぎるように感じられました）、おまけに、具のなかに、賽（さい）の目に切った厚揚げが入っていました。これにはちょっと、ピンとこなかった。

「こういうものですか？」という編集長の問いに、わたしも首をひねりました。

「うちでつくると、もっと浅蜊が多いです」

「でしょうねえ」

名物というのは、世に広まると、こんなふうになってしまうものなんですね。

残っていた木場の材木置場

やや不発だった昼飯を終えた我々は、今後の散策コースを決めるために、ゆっくり地図を広げることのできる店へと河岸をかえました。入ったところが、永代通りぞいにあるイタリアン・トマト。またまた余談ですが、十数年前、あのイタリアン・トマトが門前仲町にできる！　という話をきいたとき、わたしたちは、これで門前仲町も都会化するぞと大いに期待したものでした。なんてったって、あのイタトマが出店してくるんだもんね。

ところが、蓋を開けてみたらあにはからんや。門前仲町がイタトマ化するのではなく、イタトマが門前仲町化してしまったのでした。下町の同化力は、かくも強烈なのです（ですから、余計なお世話だと怒られそうだけど、わたしは今、鹿島建設が豊住橋のもとにどかんとぶち建てたニュー・シティ「東京イースト」が、このイタトマと同じ命運をたどるのではないかと、ちと心配しております）。

　広いテーブルで古地図を広げ、『浮沈』のページを繰り、池波さんの書かれた『むかしの味』や『剣客商売包丁ごよみ』などをめくりながら、今後のコースを検討。田村さんの発案で、まずは、木場の名残を残す光景を探し、そののち、洲崎神社をのぞいてみようということになりました。

『深川江戸散歩』のなかに、こういう景色があるんですよ

と、広げて見せてもらったページには、たしかに、「堀沿いの木材問屋木場」というキャプションで、古びた木造の建物と、そこにたてかけられている材木とが写っています。

　しかし、わたしは、「木場の材木屋さんはあらかた新木場に移転しちゃって、もうこの近辺には、こういう建物は残ってないと思いますよ。全然見かけないもの」と、自信を持って断言してしまいました。だって、ホントに見かけないんだもの。

「そうすると、タクシーで新木場へ行ってみるしかないですかね」

編集長のひと声で外へ出、通りかかったタクシーに乗り込んで、運転手さんに先程の写真を見せ「こんな感じの場所はありませんかね」と質問。

すると、運転手さんは答えました。「ありますよ。残ってますよ、この近所に」

そのときまで、(地元っ子さ)という感じで小鼻ピクピクさせていたわたしは、これにはビックリ。

「え、本当にありますかあ？」

「ありますよ。私は地元っ子ですから、よく知ってます」

きいてみると、運転手さんはわたしの中学の先輩で、高校は、ふたつ年上のわたしの姉と同じところを出ているというではありませんか（深川高校といいます）。エー、じゃ、本当に仲間じゃないですか。

そして、このへんじゃないですかねえ……という感じで、ぐるりを走ってもらっているうちに、「あ、ここだここだ」という場所が見つかったのです。富岡八幡のすぐ裏手、冬木町の運河ぞいに。

「あった……」と、わたしは絶句。

ひとつ弁解しておきますと（潔くないなあ）、地元の人間としては、そのへんの風物というものは、なんとなく見過ごしてしまうのです。見慣れていますからね。それと、写真というのは魔物だなと思ったのですが、たしかに、アングルを工夫して撮ると、マンションの谷間にひっそりと残っている古ぼけた材木屋さんの建物が、いかにも、下町の風物の一ページを切り取ったかのごとく見えてくるのです。

「写真は上手に嘘をつくからねえ」と笑いつつ、田村さんは、複雑な笑顔を浮かべるわたしと、問題の材木屋さんとを、カメラにおさめてくれたのでした。この写真もまた、

「深川の情緒」をたたえたものになるのだろうなあ。

「写真は魔物」、「上手に嘘をつく」などと申しますが、下町の風情がいま
もこうして残っていることは、なにはともあれ、うれしいではありません
か。木場にて。

地元っ子運転手さんの案内で、次は洲崎神社へ。ここは岡場所のあったところで、今もその名残を地名にとどめています。たとえば「大門通り」というのは、洲崎の大門へ通じる道だったという具合。

この小さな境内を散策しているとき、わたしの新担当者の江木さんが、週刊新潮御用達のメモ用紙に、なにやら書き留めているのに気がつきました。

「何かいてるんですか？」

「いえいえ、たいしたもんじゃないんですが」

隠すところが怪しい。どれどれと見せてもらうと、神社の社殿にかかげられている紋を描き写してあるのでした。

「こういうの、研究しているんですか？」

「研究というほどじゃないんですが、好きなんですよ。本当は、西洋の紋章のほうが専門なんですが」とはにかみつつ、「十年ぐらいたったら、この分野の第一人者に──」

「凄いですねえ」

「といっても、専門に研究してるひとが三人ぐらいしかいませんからね」

入賞確実なわけですな。なるほど。

敵討ちの現場発見

こぢんまりとしていて、一種独特の水商売の雰囲気を漂わす洲崎神社を離れ、次に向かうのは、『浮沈』冒頭の敵討ちの舞台となった千田稲荷であります。で、これからが、さあお立ち会い。

千田という地名は現在もあり、千田町という町名で、都営バスのバス停も存在しています。しかもそれは、会社勤めをしていた十年間、わたしが日々通勤に使っていたバス停であるのです。

ですから、編集長に、「千田町という地名はありますが、そこにお稲荷さんはありますかね？」と尋ねられたとき、今度こそ、わたしは万全の自信を持って、

「ないです。見たことないです。千田町にはお稲荷さんはありません」と答えることができたのでした。

「まったく？」

「はい、ありません」

ただ、材木屋さんの一件で多少自信喪失気味のわたしは、「念のために、うちに電話

かけて母にきいてみましょう」と申し出ました。そして、電話口に出てきた母が、

「千田稲荷？　きいたことないねえ。あのへんにはお稲荷さんはないよ」というのを聞

いて、内心、ほっと安心。

「ねえ、ないよね。古地図には載ってるんだけど」

「戦争で焼けちゃったんじゃないの」

「それそれ、それだね、きっと」

意気揚々と引き上げてゆくと、地元っ子の運転手さんも、「千田稲荷ってのは知りま

せんね」と首をひねっているところ。それでますます安心。

「ちょっと、近所できいてみましょう」

納得がいかないのか、運転手さんがそう言って、そのあたりにあるお店に聞き込みに

いってくれました。我々は日だまりにのんびりと立ち、あたりを見回し、

「のどかですねえ」と編集長。

「高い建物がないんだね」と田村さん。

「引っ越してきたくなりますねえ」と江木さん。

「そうでしょう？　いいところでしょう？」と、悦にいるワタクシ。実を言うと、スペー

スと家賃の都合で、現在は葛飾区に仕事場を持っているわたしも、この散策ですっかり

里心がついてしまい、また深川へ帰ってこようかな……などと考えていたのです。

そこへ、喜色満面という感じの運転手さんが戻ってきました。大きな手振りで、

「このすぐ裏手です。すぐそこだそうです」

ここでまた、わたしは「ウッソー」と叫びそうになりました。

運転手さんのさし示した方向には、たしかに、神社があるのです。大きな手振りで、

社で、境内には滑り台やブランコなどがあり、近所に友達が住んでいたこともあって、

小学生のころのわたしは、さんざんそこへ遊びに来たものでした。宇迦八幡というお

いう銭湯があって、近隣のほかの銭湯とは定休日が違っていたため、すぐ近くに稲荷湯と

こともありました。とにかく、境内に立って拡声器で「おかあさーん」と呼びかければ、

自宅の母に聞こえてしまうというくらいの御近所。まさに、わたしの縄張中の縄張です。

「えー、あれは宇迦八幡ですよ。千田稲荷じゃないですよ。違いますよ、絶対違います

って」

躍起になって否定するわたしの顔色に、他の三氏も運転手さんも不思議顔。また実際

に境内にあがってみても、見えるのは「宇迦八幡」の名称だけなのです。

「同じ深川のなかでも、ここだけは富岡八幡宮の氏子じゃなくて、お祭りも別にやるん

です。立派な御神輿もあるんですよ」

「なるほどねぇ」

境内のあちこちを歩いて写真を撮ってもらいながら、わたしはひたすら、ここは宇迦

八幡であって千田稲荷ではないと主張し続けました。「これには自信あるんですよ」

「子供のころから遊び場にしてたんじゃね」

やっぱり、千田稲荷というのはなくなってしまったんだろうね——などと、わたしと田村さんと江木さんが話し合っているとき、遠くから編集長の呼ぶ声が聞こえてきました。

「お、何か発見したらしい」

見ると、校條編集長は、神社のすぐ入口に立てられている、真新しい石碑のそばにいるのでした。

田村さんを先頭に我々が駆けつけてゆくあいだじゅう、編集長は鰹節（かつおぶし）をもらった猫みたいな表情で、一本指で手招きをし続けていました。そして、集まった我々に一言。

「ここに書いてあります」

と指さす石碑には、たしかに、たしかに、昭和に入って、千田稲荷が宇迦八幡になったのだという来歴が、しっかりと彫りつけられているのです。

「名前が——」

「変わってたんですね」

「いやあ、しかし、さすが編集長」

「よくわかりましたね」

口々に言う田村さん、江木さんの傍らで、わたしはただただ呆然です。宇迦八幡が千田稲荷だった──わたしはこの神社の境内でずっと遊んで育ったのに、来歴については何も知らなかったんだぁ。

（考えてみれば）心中、ひそかに嘆息。（八幡様のそばの銭湯が稲荷湯というのはおかしい。疑ってみるべきだった……）

だけど、こんなこと、誰も教えてくれなかったんですよ。

「つまり、この社の裏手の草原で、小兵衛は山崎勘介と斬り合ったわけですね」

『浮沈』の世界にひたりきる皆様の脇で、小兵衛は山崎勘介と斬り合ったわけですね」

『浮沈』の世界にひたりきる皆様の脇で、わたしは、ミヤベの親分はこの縄張を仕切ることができないので、十手を返上して隠居しようかしらなどと考えていたのでした。地元っ子の地元知らず。ホント、身にしみましてございます。

下町の味でおなかいっぱい

千田稲荷の衝撃の発見をあとにして、わたしたちは、門前仲町方向へ逆戻りをし、陽岳寺（がくじ）へと向かいました。小兵衛が妻のおはるのあやつる舟で深川は亀久橋の北詰にある蕎麦屋（そばや）「万屋（よろづや）」を訪れ、そこで二十六年ぶりにかつての門人滝久蔵を見かけ、ひそかに

尾けさせてみると、滝は陽岳寺へ入っていった――というくだりがあるからです。この
お寺さんは、『浮沈』のなかで、物語の要となる場所のひとつです。

現在の陽岳寺は禅寺で、一般人は、みだりになかへ入ることができなくなっていまし
た。『浮沈』のなかで描写されている、周囲に走る運河も、そこに漂う小舟もなく、清
澄通りを行き交うせわしない車の群れと、周囲を取り囲む大小のマンションやビルが見
えるだけです。

「ここには、面影はありませんね」

我々は早々に陽岳寺をあとにし、そこから徒歩で十分ほどのところにある、深川江戸
資料館を訪れることにしました。

途中、通り道にある閻魔堂をのぞき、そこでわたしはロウソクを献納しました。平日
のことでほかに人影はなく、薄暗いお堂のなかで、閻魔さまの像の前に立つと、なんと
なく怖いような気分にもなります。

「お賽銭を入れると、閻魔さまの教えが聞けるようになってるんですね」

閻魔像の前に据えられたいっぷう変わった賽銭箱には、それぞれ「家内安全」「交通
安全」「良縁祈願」「怨敵退散」など十数個の札が立てられており、そこにお賽銭を投げ
入れると、札のタイトルに見合ったお説教を聞くことができるのです。つまり、オート
マチック閻魔さまね。

「おもしろい、やってみましょう」

お賽銭を投げ入れると、閻魔像の背後からパッとライトが照らし、仏様の教えを説く朗々とした声が流れてきます。我々、おもしろがって、ひとりでふたつもみっつもお賽銭を投げてみると、反応しません。ライトもつかないしお説教も聞こえない。

いちばん最後に、「これはどうかな」と、編集長が「交通安全」のところにお賽銭を投げてみると、反応しません。ライトもつかないしお説教も聞こえない。

「わ、縁起でもない」

「いや、閻魔さまにも見離されたら、逆にもう怖いものはないってことじゃないですか」

わたしがどのタイトルを選んだかと申しますと、「商売繁盛」と「厄除祈願」と――もうひとつはトーゼン、「良縁祈願」であります。

教を聞いてみました。わたしがどのタイトルを選んだかと申しますと、「商売繁盛」と「厄除祈願」と――もうひとつはトーゼン、「良縁祈願」であります。

「校條さん、しばらく車の運転を控えたほうがいいんじゃないの」

勝手なことを言う我々の前で、編集長は今一度、はっしとばかりにお賽銭を投入。すると今度は無事にライトが灯り、一同有り難くお説教を受けて、一路、先を急いだのでありました。

深川江戸資料館は、日曜日になると観光バスがやってくるほどの名所になってしまいましたし、それに伴って、町もずいぶんときれいになり、観光客向けの辻道しるべなども立てられるようになりました。深川の町にとっても、これは幸せなことだと思います。

資料館から徒歩で、どぜうの「伊せ㐂」めざして歩いていくあいだにも、小さな運河にかけられた橋を渡ります。高橋の上から見おろす川の水には、そろそろ春の温もりが感じられるような、まだまだ冷たいような。

「小名木川の堤防はきれいに整備されて、桜並木になってるんですよ」

「仙台堀も今は埋め立てられて、水上公園みたいになってます。ここも桜がきれいです」

そんなふうに説明しながら歩いてゆくと、ますます里心がついてしまったわたしです。

やっぱり、深川はいいなあ。

「伊せ㐂」では、小説新潮でのわたしの前の担当者であった葛岡さんも合流し、柳川鍋や葱をどっさり加えたどぜう鍋、鰻の蒲焼きなどをテーブルの上いっぱいに並べて、本日の道中を振り返りました。食通の池波さんは、どぜうだけはあまりお好みではなかったようで、作品のなかにも登場してこないそうです。そのかわりといってはなんですが、池波さんが『むかしの味』のなかで紹介しておられる「キャベツ・ボール」という食べ物が、わたしが子供のころから食べているおかずであることを発見して、大いに楽しい思いをしました。レシピは実に簡単。ざく切りにしたキャベツを炒めて、そこに揚げ玉を入れて、ウスターソースをジャッとかけるのです。ご飯のおかずに美味しいですよ。

ほかのひとは誰も知らなかったところをみると、これもやっぱり、下町ふうの食べ物

なのかもしれません。下町ブーム、江戸ブームとかでにぎわっていますし、キャベツ・ボール（うちではキャベツ・ホールと呼んでいます）もお試しくださいませと宣伝して、しめくくりといたしましょう。

ああ、おなかいっぱい。

① ブルックリン【ぶるっくりん】 『火車』という作品の英語版が出版されたとき、ヘラルド・トリビューンという新聞社の記者の方がインタビューに来てくれて、いろいろお話しした際、あなたが生まれたのは東京のどんなところかと尋ねられたので、

「ダウンタウンで、ブルックリンみたいで、ベリ、デンジャラスなのだ」

と答えましたら、通訳の方が笑い出してしまいましてね。そこまで危険じゃないってね。ただ、ちょうどその数日前に、深川で発砲事件があってひとり亡くなっていたものですから、つい、つい。

② オートマチック閻魔さま【おーとまちっく・えんま・さま】 これが、そのお姿ですが、怖いような、怖くないような……。いまこうして拝むと、なんだか微笑ましいというか、可愛らしいですね。でもでも、ウソをついたら、舌を抜かれそうでありますよ。

いかがわしくも愛しい町、深川

　山本周五郎の短編小説の佳作『深川安楽亭』は、そのタイトルの示すとおり、安楽亭という名の居酒屋を舞台に、ほとんど芝居のひと幕ものと同じような形で描かれた作品です。この安楽亭には、今日でいうところの非行少年・青年たちがたむろしており、危険な抜荷に手をそめて、その日その日を刹那的に、人生そのものを綱渡りのようにして生きているのですが、そこに、恋人を身請けするための金を盗んで袋叩きにされたお店者の若者が担ぎこまれ、それに前後して、「おれはここを知っている」と言いながら、ひとりで孤独に酒を飲み何事かを嘆いている、正体のよくわからない中年の男が姿を現す——ということで、話は始まります。

　作品の味わい……とりわけ、周五郎の終生のテーマとも言われている「無償の奉仕」の精神に触れるこの筋書きについては、もう語ることはないでしょう。ただ、このエッセイのためにいくつかの作品を読み返しているとき、もう十七、八年ほど昔のことにな

りますが、わたしが初めて山本周五郎の作品を読んだところ、同じように周五郎の作品に触れていた友人が、「こういう小説を読むと、心を洗い張りに出したような気持ちになる」と、中学生にしてはえらく詩的な表現をしていたことを、ふと思い出しました。平成を生きる多感な少年少女たちは、『樅ノ木は残った』や『さぶ』や『青べか物語』を読んだとき、今ではもう死語に近くなってしまった「洗い張り」という言葉の代わりに、どんなものを以て感動を表現するのだろうかと思うと、興味深いものがあります。

『深川安楽亭』の舞台、安楽亭はむろん架空の店であありますが、無頼な若者のアジトであり、抜荷の基地であり、居酒屋でありながら一見の客は足を踏み入れることのできない空気を持つこの店を設定するには、やはり、深川はうってつけの土地であると思います。長短編を問わず、周五郎の有名な作品のなかで、タイトルに地名が冠されているのは、この『深川安楽亭』と『柳橋物語』ぐらいのものではないでしょうか。どちらも、どうしたってこの地名、この土地での出来事でなくてはならない作品です。そして、深川で生まれ育ったわたしは、このことに、ちょっと自慢めいた感情をいだいています。

自分の生まれ育った土地については、その気になればいつでも知ることができると思っているせいか、案外無知なままでいることが多いものです。わたしもその例にもれず、時代小説の習作を書き始め、案外ものの資料を目にするようになるまでは、深川という土地が、当時の江戸の人々にとって、「人外魔境」のようなものだったということを、

ほとんど知りませんでした。漠然と、昔からまああんまり金持ちの住む町じゃなかったんだろうな、というぐらいの認識しかなかったわけです。ですから、江戸期の中ごろまでは、深川だけではなく隅田川を渡った東側、両国橋の向こう一帯が、いわゆる朱引きの外であり、江戸市中ではなく、従って町奉行所の管轄でさえなく、お代官さまや八州さまの管理の下に置かれていたのだということを知ったときには、いささか啞然としたものです。我が家は深川に住んでわたしで四代目なものですから、父などは「うちは江戸っ子だ」と公言しているのですが、それはトンデモナイ勘違いだったということになるわけですから。

深川は、朱引きの内側の江戸市民が日々の生活のなかで排出するゴミを埋め立ててつくられた、人工の土地です。風紀も悪く、流れ者が出入りし、治安は極めて悪かった。そのかわり、いわば新地ですから、文化・風俗の風通しはよくて、きっと刺激にあふれた面白い町でもあったろうと思います。土地っ子の友達で、やはり昔のわたしと同じように、深川の真実について知らなかった人にこの話をするとき、わたしはよく、

「ほら、ニューヨークのブルックリンみたいなものよ」と表現することにしています。大勢の人間が出入りし、きれいごと抜きの、生の感情や欲望がぶつかりあっている町。

ただ、少しばかり残念なことに、近年、この深川も、都市化の一途をたどりつつあります。うんと顎をあげないと空が見えないというくらいにビルやマンションが立ち並び、

運河は埋め立てられ、公園や緑地になっているの
は、この地が堀割や運河に恵まれていたからであるわけですが、悲しいことに、現在の
深川の町からは、そのころの面影を想像することさえ難しくなってしまいました。

町が創造的なエネルギーを持つためには、なんらかの形である種のいかがわしさを内
包していなければならないもの、と思います。江戸のころの、周五郎が安楽亭を存在さ
せたころの深川には、たしかにそういういかがわしさがあったのでしょう。そして、そ
こにはそういう土地に対する愛憎なかばする感情も、同じように存在していたはずです。

深川が、東京のなかにあまた存在する、おしゃれで近代的でスマートな町に似てきて
出ていきたいと思うほどいかがわしく、卑俗で、でもどうしようもなく愛しい町。

つある現在、わたしはせめて、意地っ張りで泥臭い、下町の人間であり続けたいものだ
と思っています。

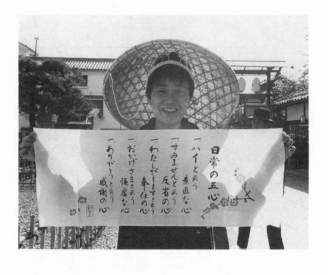

日常の五心

一、ハイと云う　素直な心
一、すみませんと云う　反省の心
一、わたしがしますと云う　奉仕の心
一、おかげさまと云う　謙虚な心
一、ありがとうと云う　感謝の心

あとがき

本文中で言いたい放題言い散らした後なので、これ以上まだナンカ言うことあるのかオマエ！　という感じですが……。

小説以外の企画物のエッセイを書いたり、それを本にまとめることをずっと渋っていたわたしが、本書だけは楽しくつくりあげることができました。お世話になった新潮社の皆様に、深く御礼を申し上げます。とりわけ、なんといっても校條剛編集長サマ！

お楽しみ企画のために時間と資金を与えてくださいました。今後は、甘い甘いハニー校條編集長とお呼びいたします。

担当諸氏の健脚にも脱帽。みんな、ダイエットになりましたか？　重い機材を担いでずっと付き合ってくださったマック田村さん、さぬきうどん土居さん、次にはもっと楽な仕事でご一緒しましょうね（笑）。本当にお疲れさまでした。

最初にこの企画を思いついたとき、それはやる価値があるからやりなさいと背中を押してくれた現文庫編集部長の池田雅延さん、ありがとうございました。管理職なのにすっごい機動力をお持ちなので、ヒソカに騎馬奉行池田神楽守とお呼びしているのですが、

今後ゲリラ的お徒歩のあるときは、ぜひ馬を駆ってご参加ください。

本文中でも少し触れたと思いますが、お徒歩日記の企画が進行中、ミヤベは週刊新潮誌上で何本か短い読切時代小説を書いていました。その際にじっくりとお付き合いをいただきました当時の週刊新潮編集部次長、現総務部長の宮沢徹甫さん、「お徒歩、いいね。ああいうことはどんどんやるべきだよ」と励ましていただいて、歩く元気が出ました。宮沢さんをコードネームでどうお呼びしようかと相談しましたところ、ニコライ江木氏が、

「そりゃもう、オッケー宮沢でしょう！」

と力強く断言していました（なぜでしょう？）。お徒歩で鍛えた足で、これからもオッケーのもらえる原稿を書き続けられるよう、頑張ります。

当時のミヤベの出版部担当で、現在は「新潮」編集部におられる宮辺尚さん。ちょうどあのころ、健康と勉強と一挙両得の企画だねえと、応援ありがとうございました。文庫のミヤベ担当者が庖丁人中村さんで、ミヤベの担当が宮辺さんで、宮辺さんの部下でやはりミヤベの担当が庖丁人中村さんという名字で、文庫のミヤベ担当がやはり中村さんという名字で、集まって話すと誰が誰に話しかけてるのか判らなくなってしまったですねえ。

そして締めくくりには、やはり、ニコライ江木氏と死海文書タナカ氏に、特別に御礼

を申し上げねば。ニコライ江木さんには、資料集めからルートの作成、移動や宿泊の手配など、ありとあらゆることでお世話になりました。死海文書タナカさんは、単行本化の際に本当にすごいエネルギーを本書に注いでくれて、他の仕事は大丈夫なのかと、ミヤベ心配になりましたよ、ホント。なお文中の編集パートの註は、このお二人の手になるものです。

それでは読者の皆様、長々とお付き合いをいただき、ありがとうございました。そして皆様に、良き旅、良きお徒歩の道がありますように！

平成十年六月吉日

宮部みゆき

文庫版のためのあとがき

　ミヤベにとっては唯一の小説以外の本である『平成お徒歩(かち)日記』が新潮文庫に収められることになりました。読者プレゼントという初のイベント付きで単行本を出せたときも嬉しかったですが、"ちょいと歩いてちょいと健康になってちょいとあれこれ見たり聞いたりしよう"というコンセプトのお徒歩本は、できるだけ早めにコンパクトな文庫サイズにしたいという希望もありましたので、あらためて喜んでおります。

　読み直すと、勉強不足の上にミーハーで、いやはや本当に恥ずかしい限りです。こういうのをこそ "若書き" というのではないかしらと、ゲラを見ながら一人で赤面しました。

　単行本を出して、文中のクイズにたくさんの読者の皆さんから解答をお寄せいただいたこと、我々もお徒歩を楽しんでいますという共感のお手紙をいただいたこと、続きはないのかという問い合わせを受けて、担当編集者が「もうできません」と思わず本音でお答えしてしまったこと――などなど、楽しい思い出がたくさんあります。これ以上、何をゼイタクなことを言ってもバチがあたりそうですが、せっかくハンディな文庫の形

で再お目見えした『お徒歩日記』、皆さんの旅行鞄やタウンバッグやデイパックの片隅にちょいとお邪魔して、ちょいとお散歩したい気分になったときの〝ちょいとガイドブック〟の役割も果たすことができれば、さらにさらに嬉しいぞ、と思っています。

平成十二年十月吉日

宮部みゆき

其ノ六

両国国技館　墨田区横網1-3-28　03(3623)5111

ビヤステーション両国　ＪＲ両国駅西口改札前　03(3623)5252

其ノ七

定額山善光寺大本願　長野県長野市元善町500

伊勢神宮・内宮（皇大神宮）

　　　　　三重県伊勢市宇治館町　0596(24)1111（神宮司庁）

伊勢神宮・外宮（豊受大神宮）伊勢市豊川町　電話・同上

お伊勢参り資料館　伊勢市宇治浦田1-15-20　0596(24)5353

志摩観光ホテル　三重県志摩郡阿児町賢島　0599(43)1211

志摩スペイン村　志摩郡磯部町坂崎　0599(57)3333

剣客商売「浮沈」の深川を歩く

富岡八幡宮　東京都江東区富岡1-20-3　03(3642)1315

洲崎神社　江東区木場6-13-13

深川江戸資料館　江東区白河1-3-28　03(3630)8625

ホテルイースト21東京　江東区東陽6-3-3　03(5683)5683

どぜう「伊せ㐂」　江東区高橋2-5　03(3631)0005

（以上、平成12年12月現在確認できたものを新潮文庫編集部で
まとめました）

付録　「お徒歩」ガイド

其ノ壱

本所回向院　東京都墨田区両国2-8-10

吉良邸跡　墨田区両国3-13-9本所松坂町公園

そば「さらしなの里」　中央区築地2-2-7　03(3541)7343

銀座第一ホテル　中央区銀座8-13-1　03(3542)5311

蔓松山泉岳寺　港区高輪2-11-1

其ノ弐

伝馬町牢屋敷跡　中央区日本橋小伝馬町5-2十思公園

鈴ヶ森刑場跡　品川区南大井2-5-6

小塚原刑場跡　荒川区南千住5-33-13回向院

うなぎ「尾花」　荒川区南千住5-33-1　03(3801)4670

其ノ参

小田原城　問い合わせ先　0465(23)1373

「はつ花そば本店」

　　　　　　　神奈川県足柄下郡箱根町湯本635　0460(5)8287

箱根関所資料館　足柄下郡箱根町箱根1　0460(3)6635

其ノ四

憲政記念館　東京都千代田区永田町1-1-1　03(3581)1651

其ノ伍

東海汽船　　　03(5472)9999

八丈島観光協会　04996(2)1377

掲載誌　小説新潮
「平成お徒歩日記」

其ノ壱　真夏の忠臣蔵　　　　　　　　　　　平成六年九月号
其ノ弐　罪人は季節を選べぬ引廻し　　　　　七年二月号
其ノ参　関所破りで七曲り　　　　　　　　　七年九月号
其ノ四　桜田門は遠かった　　　　　　　　　八年二月号
其ノ伍　流人暮らしでアロハオエ　　　　　　八年九月号
其ノ六　七不思議で七転八倒　　　　　　　　九年二月号
其ノ七　神仏混淆で大団円　　　　　　　　　九年八月号

剣客商売「浮沈」の深川を歩く　　　　　　　十年二月号
いかがわしくも愛しい町、深川　　　　　　　平成五年五月号
　　　　　　　　　　　　　　　　　　　　　平成五年二月号

この作品は平成十年六月新潮社より刊行された。

宮部みゆき著　魔術はささやく
日本推理サスペンス大賞受賞

それぞれ無関係に見えた三つの死。さらに魔の手は四人めに伸びていた。しかし知らず知らず事件の真相に迫っていく少年がいた。

宮部みゆき著　レベル7 セブン

レベル7まで行ったら戻れない。謎の言葉を残して失踪した少女を探すカウンセラーと記憶を失った男女の追跡行は……緊迫の四日間。

宮部みゆき著　返事はいらない

失恋から犯罪の片棒を担ぐにいたる微妙な女性心理を描く表題作など6編。日々の生活と幻想が交錯する東京の街と人を描く短編集。

宮部みゆき著　龍は眠る
日本推理作家協会賞受賞

雑誌記者の高坂は嵐の晩に、超常能力者と名乗る少年、慎司と出会った。それが全ての始まりだったのだ。やがて高坂の周囲に……。

宮部みゆき著　本所深川ふしぎ草紙
吉川英治文学新人賞受賞

深川七不思議を題材に、下町の人情の機微とささやかな日々の哀歓をミステリー仕立てで描く七編。宮部みゆきワールド時代小説篇。

宮部みゆき著　かまいたち

夜な夜な出没して江戸を恐怖に陥れる辻斬り〝かまいたち〟の正体に迫る町娘。サスペンス満点の表題作はじめ四編収録の時代短編集。

宮部みゆき著　淋しい狩人

東京下町にある古書店、田辺書店を舞台に繰り広げられる様々な事件。店主のイワさんと孫の稔が謎を解いていく。連作短編集。

宮部みゆき著　火　車
山本周五郎賞受賞

休職中の刑事、本間は遠縁の男性に頼まれ、失踪した婚約者の行方を捜すことに。だが女性の意外な正体が次第に明らかとなり……。

宮部みゆき著　幻色江戸ごよみ

江戸の市井を生きる人びとの哀歓と、巷の怪異を四季の移り変わりと共にたどる。〝時代小説作家〟宮部みゆきが新境地を開いた12編。

宮部みゆき著　初ものがたり

鰹、白魚、柿、桜……。江戸の四季を彩る「初もの」がらみの謎また謎。われらが茂七親分――。連作時代ミステリー。

池波正太郎著　剣客商売

白髪頭の粋な小男・秋山小兵衛と厳のように逞しい息子・大治郎の名コンビが、剣に命を賭けて江戸の悪事を斬る。シリーズ第一作。

池波正太郎著　剣客商売⑯　浮　沈

身を持ち崩したかつての愛弟子と、死闘の末倒れた侍の清廉な遺児。二者の生き様を見守り、人生の浮沈に思いを馳せる小兵衛。最終巻。

池宮彰一郎著　**四十七人の刺客**
新田次郎文学賞受賞

「今宵、吉良を殺す」討入りは内蔵助の謀略の終局を意味した。忠臣・浪士ではなく刺客と化した四十七士を気高く描く画期的作品。

池宮彰一郎著　**四十七人目の浪士**

義挙の生き証人としてひとり生き延びることを、大石内蔵助に命じられた寺坂吉右衛門。死者たちと心結ばれた男の後半生を描く四編。

池宮彰一郎著　**その日の吉良上野介**

浅野内匠頭は、なぜ吉良上野介に恨みを抱いたのか？　最大の謎に挑んだ表題作をはじめ、斬新な角度で迫る「池宮忠臣蔵」全5編。

井沢元彦著　**忠臣蔵 元禄十五年の反逆**

『忠臣蔵』は吉良殺しの劇ではない。討ち入りのプロットに巧妙に仕組まれた綱吉誅伐の符牒を、当代随一の歴史推理の俊英が見抜く。

大佛次郎著　**赤穂浪士**（上・下）

四十七士の苦節と忍耐、対する吉良と上杉の苦悩を、スパイ合戦など多彩な事件で浮き彫りにする。独自な解釈と設定で描く忠臣蔵。

安部龍太郎著　**血の日本史**

時代の頂点で敗れ去った悲劇のヒーローたちを描く46編。千三百年にわたるわが国の歴史を俯瞰する新しい《日本通史》の試み！

杉浦日向子著　江戸アルキ帖

日曜の昼下がり、のんびり江戸の町を歩いてみませんか――カラー・イラスト一二七点とエッセイで案内する決定版江戸ガイドブック。

杉浦日向子著　風流江戸雀

どこか懐かしい江戸庶民の情緒と人情を、「柳多留」などの古川柳を題材にして、現代の浮世絵師・杉浦日向子が愛情を込めて描く。

杉浦日向子著　百物語

江戸の時代に生きた魑魅魍魎たちと人間の、滑稽でいとおしい姿。懐かしき恐怖を怪異譚集の形をかりて漫画で描いたあやかしの物語。

杉浦日向子と
ソ連　編著　ソバ屋で憩う
　　　　　――悦楽の名店ガイド101――

江戸風俗研究家・杉浦日向子と「ソ連」のメンバーが贈る、どこまでも悦楽主義的ソバ屋案内。飲んだ、憩った、払った、101店。

坂東眞砂子著　桃色浄土

鄙びた漁村に異国船が現れたとき、惨劇の幕はあがった――土佐に伝わるわらべうたを素材に展開される、直木賞作家の傑作伝奇小説。

坂東眞砂子著　山姥（上・下）
　　　　　　直木賞受賞

山姥がいるてや。赤っ子探して里に降りて来るんだいや――明治末期の越後の山里。人間の業と雪深き山の魔力が生んだ凄絶な運命悲劇。

ひろさちや著　　ひろさちやの般若心経88講

わずか三百字たらずの短い経文『般若心経』。仏像や高僧の話にとどまらず、釈尊の言わんとした人間の生き方を分かりやすく解説。

ひろさちや著　　まんだら人生論（上・下）

人生に悔いを残さないためにも、人類の叡智の集大成ともいえる宗教に触れてみませんか。ストレスのない人間らしい生き方の羅針盤。

ひろさちや著　　「まんだら」のこころ

ラクして生きたい、肉や魚も食べたい、蠅や蚊は嫌い。そんな私たちも仏教は許してくれる。現代人のための仏教「なるほど」講座。

泉　麻人著　　東京23区物語

東京都23区の歴史を解説しつつ、人々の生態と、街の姿を観察した、東京人と上京人と田舎人のためのマジメで役立つ〈社会学書〉。

泉　麻人著　　散歩のススメ

横町の風呂屋、路地裏の金魚店、ビルの谷間の神社。街をぶらぶら歩く楽しみは実に奥深いのだ。散歩の達人による街角漫遊記。

泉　麻人著　　東京自転車日記

当代最強の東京マニア、MTBに跨る！車輪の向くままふらっと巡り、急速に姿を変えていく町の一瞬を映した「平成東京風土記」。

群ようこ著　　亜細亜ふむふむ紀行

香港・マカオ、ソウル、大阪——アジアの街をご近所感覚で歩いてみれば、ふむふむ、なあるほど……。文庫書下ろしお気楽旅行記。

群ようこ著　　街角小走り日記

特別な事件より、普通の毎日。奇人変人より、あなたの隣人。そんな〈日常〉にこそ面白い出来事は潜んでいる！ 痛快無比のエッセイ集。

群ようこ著　　またたび東方見聞録

バンコク、サムイ島、上海、蘇州、京都——またたび日本人にアジア。アジアの魅力に目覚めた著者が綴る文庫書下ろし紀行エッセイ。

群ようこ著　　東洋ごろごろ膝栗毛

台湾の温泉では見知らぬおばさん大開脚。北京じゃサソリの唐揚げ、アリの団子に舌鼓。お腹ごろごろ、猫ごろごろ絶好調アジア紀行。

森まゆみ著　　明治東京畸人傳

谷中・根津・千駄木——。かつてこの地をこんな破天荒なヤツが歩いていた！ 精力的な聞き書きから甦る25のユニークな人生行路。

林　望著　　東京珍景録

古さを温存するイギリスをよく知る、著者ならではの観察眼で発掘した珍景群を、面白がり名残を惜しみ、"記録"したエッセイ＆写真。

吉村　昭　著　桜田門外ノ変（上・下）

幕政改革から倒幕へ――。尊王攘夷運動の一大転機となった井伊大老暗殺事件と、水戸薩摩両藩十八人の襲撃者の側から描く歴史大作。

吉村　昭　著　ニコライ遭難

"ロシア皇太子、襲わる"――近代国家への道を歩む明治日本を震撼させた未曾有の国難・大津事件に揺れる世相を活写する歴史長編。

多岐川恭著　江戸の一夜

江戸勤番になった実直な侍と妖艶な女の一夜を描く表題作など十六編。江戸を舞台に色と欲に狂奔する人々の姿を活写する時代小説集。

多岐川恭著　追われて中仙道

いきがかりで道連れになった男と女。どちらも互いにすねに傷持つ身。迫る追手を斬り捌き、辿りつくのは極楽かはたまた地獄か……。

多岐川恭著　江戸の敵（かたき）

銀平はお紋のヒモ。美人局で江戸を荒し回った挙げ句、長崎行きを思い立った。市井の男女の愛欲を推理小説の手法で描く時代小説集。

多岐川恭著　江戸三尺の空

縄抜けして脱走した囚人と、責任をとらされて切腹した牢屋同心の息子との手に汗握る対決。江戸の闇を描いたピカレスク長編！

新　潮　文　庫　最　新　刊

宮部みゆき著

平成お徒歩日記

あるときは、赤穂浪士のたどった道。またあるときは箱根越え、お伊勢参りに引廻し、島流し。さあ、ミヤベと一緒にお江戸を歩こう！　書き下ろし小説完結篇。

群ようこ著

都立桃耳高校
─放課後ハードロック！篇─

山岳部は授業中に飯盒炊さん、先生達は学校で犬を飼い始めた。私はハードロックが聞ければ十分幸せ！

唯川恵著

恋人たちの誤算

愛なんか信じない流実子と、愛がなければ生きられない侑里。それぞれの「幸福」を掴むための闘いが始まった──これはあなたのための物語。

小林信彦著

結　婚　恐　怖

梅_本修二・31歳。独身でいるのは女性に縁がないから、ではない。女が怖い、男がわからない、そんなあなたのための〈ホラー・コメディ〉。

ねじめ正一著

青春ぐんぐん書店

「酒田の大火」で焼け落ちた商店街復興のため、東奔西走する本屋の父。北国、人情、青春。友情の中で成長する拓也。悪い仲間や深い

梨木香歩著

裏　　庭
児童文学ファンタジー大賞受賞

荒れはてた洋館の、秘密の裏庭で声を聞いた──教えよう、君に。そして少女の孤独な魂は、冒険へと旅立った。自分に出会うために。

新潮文庫最新刊

戸梶圭太著　溺れる魚

二人の不良刑事が別の公安刑事の内偵を進めるうち、企業脅迫事件に巻き込まれる。痛快無比のミステリー。2月より東映系で公開！

多田富雄
南伸坊著　免疫学個人授業

ジェンナーの種痘からエイズ治療など最先端の研究まで――いま話題の免疫学をやさしく楽しく勉強できる、人気シリーズ第2弾！

藤原正彦著　心は孤独な数学者

ニュートン、ハミルトン、ラマヌジャン。三人の天才数学者の人間としての足跡を、同じ数学者ならではの視点で熱く追った評伝紀行。

養老孟司著　身体の文学史

解剖学の視点から「身体」を切り口として日本文学を大胆に読み替え、文学を含めたあらゆる表現の未来を照らすスリリングな論考。

西村公朝著　ほけきょう
　　　　　　　―やさしく説く法華経絵巻―

お釈迦さまが最後に説いたという「法華経」。まるで壮大なオペラのような法華経的な世界を、絵と文で紙芝居風に紹介します。

妹尾河童著　少年H（上・下）

「H」と呼ばれた少年が、子供の目でみつめていた〝あの戦争〟を鮮やかに伝えてくれる！笑いと涙に包まれた感動の大ベストセラー。

新潮文庫最新刊

M・H・クラーク
宇佐川晶子訳

月夜に墓地でベルが鳴る（上・下）

早すぎる埋葬を防ぐために棺に付けられたベル。次にそれを鳴らすのはいったい誰なのか？ 悲劇が相次ぐ高齢者用マンションの謎。

フリーマントル
松本剛史訳

英　雄（上・下）

口中を銃で撃たれた惨殺体が、ワシントンで発見された！ 国境を超えた捜査官コンビの英雄的活躍を描いた、巨匠の新たな代表作。

J・キューザック他
森田義信訳

ハイ・フィデリティ
—シナリオ・ブック—

音楽オタクで恋愛オンチ。不器用にしか生きられない中古レコード店主を描いた世界的ベストセラーの映画シナリオを完全収録！

S・キング
山田順子訳

デスペレーション（上・下）

ネヴァダ州にある寂れた鉱山町。神に選ばれし少年と悪霊との死闘が、いま始まる……人間の尊厳をテーマに描くキング畢生の大作！

R・バックマン
山田順子訳

レギュレイターズ（上・下）

閑静な住宅街で、SFアニメや西部劇の登場人物が突如住民を襲い始めた！ キング名義の『デスペレーション』と対を成す地獄絵巻。

ケン・フォレット
矢野浩三郎訳

自由の地を求めて（上・下）

18世紀後半。スコットランドからロンドンへ逃走したものの、流刑囚として植民地アメリカへ送られた若者の冒険と愛を綴る巨編。

平成お徒歩日記

新潮文庫　　　　　　　　　　　　　み - 22 - 11

平成十三年一月一日　発　行

著　者　　宮部みゆき

発行者　　佐藤隆信

発行所　　株式会社　新潮社

　　　　　郵便番号　一六二─八七一一
　　　　　東京都新宿区矢来町七一
　　　　　電話編集部（〇三）三二六六─五四四〇
　　　　　　　読者係（〇三）三二六六─五一一一

価格はカバーに表示してあります。

乱丁・落丁本は、ご面倒ですが小社読者係宛ご送付
ください。送料小社負担にてお取替えいたします。

印刷・大日本印刷株式会社　製本・憲専堂製本株式会社
© Miyuki Miyabe 1998　Printed in Japan

ISBN4-10-136921-6　C0195